U0839964

# 产后瘦大腿 减腰腹、缩骨盆 的瘦身必修书

## ——我也能变身100分好身材妈咪

叶君桐◎著

人民东方出版传媒
東方出版社

# 前言

## 你也能恢复成100分好身材妈咪

产后养颜瘦身，是每个女性在生产前后都特别关注的事，谁不希望能在产后迅速恢复身材，变身凸凹有型的漂亮妈咪呢？

宝宝的到来为整个家庭带来了无穷的欢乐，新妈妈对此应当有特别深刻的体会。与此同时，新妈妈也意识到自己的身材和怀孕前有了不一样的变化。产后新妈妈会经历生理和心理的巨大变化，这些都是正常的现象，重要的是新妈妈如何才能迅速恢复曼妙而玲珑有致的身材，保持光滑、细嫩、白皙的肌肤，使自己的状态一如产前和孕前。现实生活中，不少新手妈咪在手忙脚乱为宝宝换尿布、调奶粉、收拾宝宝玩具过程中，不知不觉中让自己的身体曲线走样，脸上有斑来不及护肤，甚至头发也都没有时间整理。新手妈妈们，现在快照一下镜子，是不是连你都觉得镜子里的自己很糟糕呢？

爱美是所有女性的天性，妈咪的身份则是每个女性人生的新起点，也是重塑美丽身材和崭新形象的大好时机。其实，只要自修得体、运动得当，加上合理的饮食调养、肌肤护理，每个新妈咪都能恢复成100分好身材妈咪。

笔者在咨询多位业内知名的美体塑形师之后，总结出实用有效的产后养颜瘦身方案，引导各位新妈妈科学健康地恢复俏丽的脸庞、窈窕的身材，重拾对美的自信！需要提醒新手妈咪的是：不要因为新生命的诞生而过于紧张，更不要以“没时间”为借口，放松对美的追求。

contents

# 目录

# contents

## 护肤疗法：你也可以是美肤的气质妈咪 / 76

## 运动疗法：瘦身的关键在于方法和坚持 / 115

# 主角人物简介

**俊安**

男性，Alisa的老公，30岁。短头发，穿衬衫，打领带，带一副眼镜，看起来很斯文，是一位室内设计师。

**小宝**

Alisa和俊安的宝宝，长得胖乎乎、很可爱，三个月，经常睁着一双探寻世界的大眼睛。

**Alisa**

女性，俊安的妻子，Cherry的同事，26岁。短头发，穿一身居家服，整天绕着宝宝转。生完宝宝后，身体已经有些发胖。

---

**Cherry**

女性，28岁。一位新妈妈，与Alisa是同事，打扮得非常新潮，身材恢复得非常好，皮肤红润、光滑，一看就是位辣妈。

**安可**

Cherry的女儿，快1岁了。爱穿漂亮的公主裙，已经学会走路，非常可爱。

# 1 自修疗法：产后身体恢复必须由内而外

1. 看看自己的变化，有点惊讶吧
2. 哪些症状新妈妈可以自行处理
3. 剖腹产后的自我护理有什么好方法
4. 产后体质与体形恢复时需要注意的事项
5. 如何更好地提高产后身体恢复指数
6. 想恢复体形，就要坚持正确做操
7. 特别针对腰腹部的恢复疗法
8. 产后身材恢复，几招搞定

对于女人来说，谁不想拥有曼妙的曲线和一个健康可爱的宝宝呢？但是这两件事似乎并不能两全其美。女性在经历过妊娠、分娩后，由于摄取营养丰富而导致身体略显臃肿，本属正常现象。对此不用太过担心，只要找对方法，一定能恢复属于你的苗条身材。

# 1 看看自己的身材变化，有点惊讶吧

从怀孕开始，经过十月怀胎，一朝分娩，再经过月子期，女性的身体由内而外发生了巨大的变化。你是不是觉得自己像是换了一个人呢？

清早起床后，无意间看看镜子中的自己，是不是觉得有些“陌生”？不要再张大嘴巴，那就是你自己！接下来是不是心里已经有点慌乱了呢？其实，不必太过紧张，只要认清自己生理和心理上的变化，探究其变化的原因，积极采取应对措施，相信你一定能找回自己独有的魅力。

## 产后应了解自己身体的变化

产后恢复身材是新妈妈急于进行的一项重大计划。不过，在开始实施产后瘦身计划前，有必要对自己产后的身体变化有一个全面系统的了解，这样才能采取针对性的瘦身措施。

<table>
<tr><th colspan="2">身体部位</th><th>产后变化</th></tr>
<tr><td colspan="2"></td><td>多数女性在产后都会觉得自己胖了一圈：腹部依然隆起，仍像怀孕似的；腹肌松弛、下垂；臀部宽大；手臂、腿部堆积了大量的脂肪。</td></tr>
<tr><td colspan="2">关节和肌肉</td><td>女性产后一般感觉全身紧绷，腰膝无力，腰背部酸痛。主要是由于产后韧带还来不及恢复，而在整个妊娠期，腰部和下肢承担着负重的压力，产后一段时间就会自然恢复。</td></tr>
<tr><td colspan="2">皮肤</td><td>女性怀孕期间，色素会在脸部沉积，如果孕期未重视脸部保养，产后脸部可能会出现黄褐斑、色斑等；下腹部则会出现妊娠纹。</td></tr>
<tr><td rowspan="4">生殖系统</td><td>子宫</td><td>子宫每日下降1～2公分；10～14天后缩入骨盆腔；6周左右恢复到正常大小，重约50克。</td></tr>
<tr><td>子宫颈</td><td>子宫颈出现松弛、充血、水肿等症状；1周后恢复正常形状；4周后恢复正常大小。</td></tr>
<tr><td>阴道</td><td>阴道在产后会逐渐缩小，阴道壁肌肉的张力会慢慢恢复，但还达不到产前的紧张度，聚集的色素也会在产后6～8周慢慢消退。</td></tr>
<tr><td>骨盆肌肉群</td><td>骨盆底部的肌肉群至少需要4～6周才能恢复到怀孕前的状态。</td></tr>
<tr><td colspan="2">乳房</td><td>有的女性在产后可能会出现乳房下垂的现象，通常这是怀孕所造成的，但只要产后选择合适的胸罩，并注意乳房的护理，一定能让胸部再次坚挺。</td></tr>
</table>

上述女性身体上的产后变化都是正常的，且大部分都是暂时性变化。为了让身体尽快恢复到产前的良好状态，新妈妈需要多做一些锻炼，以促进身体的恢复。

## 是不是觉得自己太胖呢

经过妊娠期和月子期的进补，原本身材苗条的女性可能会察觉到自己身材“发福”，甚至会感叹失去往日的风采。处于妊娠期时的妇女会因胎儿的重量、羊水、血容量、细胞间液的增加，以及子宫和乳房增大等因素，导致体重增加15千克左右。分娩后，由于胎儿、胎盘、羊水被排出体外，体重会减少10千克左右。之后，排出恶露，排尿量、排汗量增大以及乳汁的分泌等，都会使体重持续下降。到产后6周左右，体重就会维持在一个相对稳定的水平。这时体重通常会比怀孕前要重一些，所以很多女性会觉得自己在产后胖了一大圈。

如果产后新妈妈的体重超出正常值20%，甚至是50%的话，在医学上称为“生育性肥胖”。生育性肥胖不仅影响美观，严重的还会影响女性的健康，所以新妈妈一定要对产后肥胖提高警觉，并做好预防工作。

### Tips

#### 如何预防产后肥胖

①日常合理膳食：女性产后宜补充充足的营养，同时也要避免体内营养过剩，以免多余的热量转化为脂肪堆积在皮下。

②喂母乳：对母体和婴儿都好。母体内的葡萄糖会转化为乳糖进入乳汁，这是消耗能量的一个良好途径。同时，喂母乳也能增进母子间的感情。

③适量运动：只要产后身体恢复的情形良好，女性宜尽早下床活动，这样有利于排出恶露，使子宫、肠道以及膀胱等器官的功能尽快恢复，还能预防尿液滞留和便秘，对身体的恢复有很大帮助。

## 腰部出现妊娠纹怎么办

怀孕期间，随着腹部的隆起，皮肤的弹力纤维和胶原纤维会出现不同程度的损伤，皮肤变薄，腹壁出现一些宽窄和长短不一的粉色或紫色条纹。分娩后，它们就变成了白色或银色的疤痕线纹，这就是我们常说的妊娠纹。妊娠纹不痛不痒，对人体的健康也没有什么影响，但对于爱美的女性，妊娠纹可是美丽的大敌。

### Tips

**怎样才能预防妊娠纹**

①孕前积极运动做锻炼，经常做按摩，增强皮肤的弹性。

②多吃富含蛋白质、维生素的食物，能增强皮肤的弹性，日常饮食力求营养均衡。

③怀孕后要注意保养和适量运动，避免体重增加过多。经常按摩腹部皮肤，是预防产后妊娠纹的好方法。

忌食甜品、碳水化合物，是拥有无瑕肌肤的重点，更重要的在于摄取均衡的营养。太甜或过多的碳水化合物、油炸食品会导致体内脂肪堆积，对皮肤的伤害非常大。

平常应注意皮肤的保湿，使皮肤保持白嫩和弹性，使皮肤在脂肪堆积扩张状态下保持弹性；还要防止体重过度增加，过多的脂肪堆积是导致妊娠纹的主要原因；女性产后宜多做运动，特别是针对脂肪堆积多的腹部、臀部、大腿内侧、腋下等部位。另外，还可以温柔地搓揉、按捏等，增强皮肤和肌肉的弹性。

# 丑陋的妊娠纹

Alisa：“老公，你看看我腹部的妊娠纹，真是严重影响美观，你会不会嫌弃我啊？”
俊安：“怎么会嫌弃呢？但女性都是爱美的，你有时间也多做做美容、美肤，千万不要懒惰哦！”

俊安：“呵呵……”
Alisa：“好！为了能尽早穿上低腰裤，我会让妊娠纹统统消失的！”

# 需要新妈妈自行处理的一些症状

2

生产后，你是否觉得身体有些不适呢？虽然大量补充营养品，仍然会觉得身体虚弱。其实，不用过于担心，有些症状对产后新妈妈来说是很正常的，只要处理得当，身体很快就能恢复。

新妈妈产后会出现一些身体症状，了解这些症状的情况，掌握产后身体的变化，做出判断和相应的处理，才能促进身体恢复，也有利于母乳喂养下的宝宝健康成长。新妈妈的呼吸、心跳、消化系统、体温等都会发生较为剧烈的变化，甚至引起发烧。所以产后宜向医生多咨询意见，来区分生理性症状和病理性症状。

## 产后哪些症状属于正常呢

1．体温：产后24小时内，产妇的体温会保持在38℃左右。3～4天后，体温会升高到38.5℃～39℃，体温升高后不用急，12小时后就会消失。但是，如果体温升高后持久不退或者持续反复，就要注意是否感染。

2．呼吸：正常人呼吸16～20次／分钟，心率60～100次／分钟。产妇由于妊娠时的胸式呼吸变为胸腹式呼吸，这些数值较平常人缓慢。

3．消化：妊娠时，子宫会造成产妇的胃向上偏移。分娩后，子宫缩小，胃和肠道的位置恢复正常。产后新妈妈的疲劳和卧床时间如果过久，会出现食欲欠佳、中度胀气以及便秘等症状。

4．其他：产后打寒颤，是因为产妇分娩后突然地轻松状况而忍不住发抖，这种情况喝点红糖水即可。子宫疼痛主要是由于收缩引起，一般3天后就会消失。

Tips

**何时恢复月经**

妊娠期，女性的月经会暂时停止。分娩后，排卵和月经就会慢慢恢复。一般情况下，不喂奶的女性产后6～8周即可恢复；喂奶的女性很可能整个哺乳期都不会恢复。排卵一般是在月经之前，产后新妈妈一定要注意避孕。

## 产后多汗怎么办

平常人血液量占体重的1/10，大约是4000～5000毫升，妊娠期的女性则比平常人增加30%左右，约为1000毫升。分娩后，多余的液体主要通过三种方式排出：第一种，经过泌尿系统由肾脏排出；第二种，通过呼吸经由肺排出；第三种，通过毛细孔由汗腺排出。所以，产后新妈妈会出现尿多、呼吸过重、大量出汗等症状。

另外，女性在妊娠期间甲状腺机能亢进，再加上孕期大量进补，以及产后依然大量进食，甲状腺机能暂时没有恢复，所以分娩后的女性出汗较多。

大量出汗的时候，要注意及时清洁，否则可能会引发感冒或者疾病感染。还要注意的是，有些产妇出汗较多，口干舌燥，甚至头晕耳鸣，就一定要向医生寻求帮助。

## 保持心情愉快

Alisa：
“老公，我一个晚上睡下来好热啊，衣服又湿透了！你说，是不是有什么毛病啊？”

俊安：
“这个问题我已经询问过医院护士，他们说产后大量出汗是正常现象。但是，如果出现头晕耳鸣的情况就要到医院就诊。”

Alias：
“还好，我没有出现这些情况！”

俊安：“放轻松一点，记得要保持心情愉快哦！”

## 产后出血应如何处理

产后大出血，一般是造成产妇死亡的主要原因之一。产后正常出血量一般在100毫升左右。如果出血量大于这个数值，就是医学上所说的“产后出血”。导致产后出血的主要原因包括以下几点：

1. 胎盘的粘连、脱离植入或残留等因素，都会引起产后出血。
2. 子宫收缩异常。良好的子宫收缩会迅速关闭血窦、减少出血，而子宫收缩较差或者镇静药物的使用，则会引发产后出血。
3. 软产道损伤。分娩过程中发生难产、胎儿过大、宫缩过强，以及会阴部的损伤，都有可能造成软产道损伤，引发产后出血。
4. 凝血功能障碍。有的女性罹患一些疾病或者凝血功能不强，容易引发产后出血，所以孕期积极防治贫血是很重要的。

### Tips

#### 千万不要忽略“席恩氏综合症”

席恩氏综合症（Sheehan Syndrome）是一种由大量出血、休克等原因引发脑垂体前叶功能减退的后遗症，主要症状表现为消瘦、全身乏力、闭经、畏寒、乳房萎缩等症状，严重的还会导致死亡。主要原因是由于分娩时身体受损，失血过多，导致血虚失养，肾气亏损，肾脏功能也受损，自然就会引发一系列的病症。

# 剖腹产后要会自我护理哦

3

与自然分娩相比，剖腹产使用较为复杂的麻醉方式，手术出血与术后并发症的几率大大增加，对产妇的精神和肉体都会造成创伤，所以剖腹产的新妈妈更要加强和注意自身的护理。

剖腹产的新妈妈会有很大的不适应感，如伤口的疼痛、感染不仅会使精神和肉体受到双重伤害，尤其还要担心喂奶和休养姿势可能会造成伤口再次崩裂。此外，还会担心子宫和骨盆的恢复情况，因为这对于健康以及身材的恢复与维持都是很重要的。因此，剖腹产的妈妈一定要保持心情愉快，不要因为疼痛而影响你和宝宝的快乐。

剖腹产后的6个小时内，一定不能疏忽以下几个方面，否则会影响新妈妈身心各方面的恢复情况。

## 剖腹产后6小时忌疏忽大意

### 1. 保持正确的姿势

为避免哺乳时姿势不佳而拉扯到伤口，可采取侧身喂奶的方式。平时为了减少疼痛，避免呕吐物的误吸，可去掉枕头平卧，并将头偏向一侧。为保护会阴部免受损伤，平卧时护士会固定好尿管引流袋的位置。护士还会帮你放置好卫生棉，为避免恶露感染伤口，要记得时时更换。

### 2. 严格遵照医生嘱咐

通常护士会定时为新妈妈按摩子宫，以观察子宫收缩和阴道流血的情况。为了减少腹部伤口的渗血，医生会在新产妇的腹部放置沙袋。每隔一段时间，还会查看血压、测量体温、观察小便的情况，并记录下来。新妈妈必须配合医生的检查，并严格遵照医生的嘱咐去做，这样将有助于快速恢复身体健康。

### 3. 禁食

剖腹产手术后的6小时内禁止进食，分批进食则会使肠道功能受到抑制，导致肠蠕动减慢并引发肠内胀气。

### 4. 观察恶露的情况

观察恶露的情况，不论剖腹产还是自然产都是必要的。产后子宫出血较多，如果发现阴道大量出血，应及时通知医护人员。

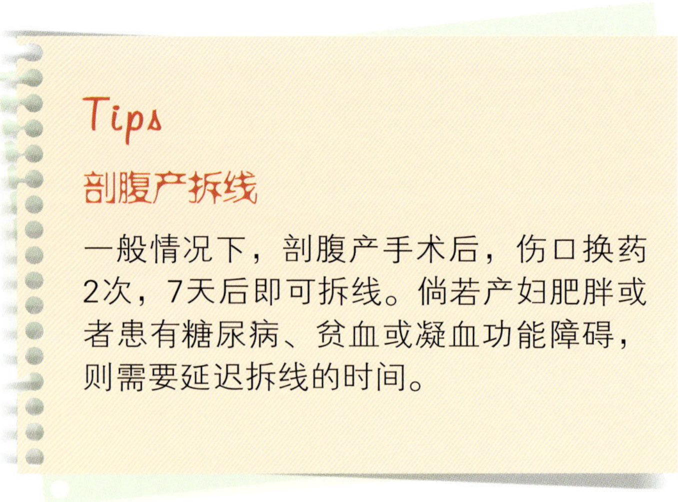

Tips

剖腹产拆线

一般情况下，剖腹产手术后，伤口换药2次，7天后即可拆线。倘若产妇肥胖或者患有糖尿病、贫血或凝血功能障碍，则需要延迟拆线的时间。

## 剖腹产后快速恢复需注意

大部分自然分娩的产妇恢复得很快，而剖腹产的产妇则恢复较慢。一旦觉得双脚恢复了知觉，可要求进行肢体活动，翻身、下床、慢慢走动，如此不仅可以增加肠胃功能，还能预防血栓性静脉炎。

大部分剖腹产的产妇因为伤口疼痛，所以腹部不敢用力，以至于不能顺利排泄，所以术后产妇一定要按以前的习惯进行排泄，以预防尿道感染和便秘。

剖腹产后6小时内禁食，6小时后可以进食一些流质食物，如熬得很浓郁的汤，进食前可先服用少量温水。要注意第一餐应以清淡简单为宜，稀饭和清汤即可，鱼汤是最好的选择。

# 尽量坚持自然分娩

Alisa：
“老公，过不了多久，我的一个同事也要生了，她问我是自然产还是剖腹呢？”

俊安：“那老婆你有没有告诉她，尽量坚持自然分娩呢？”

Alias：
“当然有了。不过，我还是有点发胖，没有恢复过去的好身材啊。好在，我们的宝宝真的是非常健康！”

## 剖腹产后的瘢痕该怎么处理

1．剖腹产后，一般2～3周的时候，伤口的纤维组织开始增生；3～6个月以后，增生逐渐停止，形成瘢痕。瘢痕开始痊愈的时候，会发生痛痒，这时一定要注意不要搔抓，以避免瘢痕感染。

2．护理瘢痕的时候要注意，保持伤口的清洁和干爽。依照医生指示，涂抹一些外用药，并经常为伤口换药。

3．休息的时候，采取侧卧姿，以减少腹壁张力。

4．不要过早揭去瘢痕，否则会刺激表皮细胞的修复。要时常擦拭瘢痕处的汗液，避免用热水洗烫。

5．下地走动就可以了，不要进行剧烈运动。

6．改善饮食很重要，多吃富含蛋白质和维生素的食物，避免辣椒、葱、姜等刺激性食物。

Tips

**绷带有助于消除瘢痕**

用一些硅胶弹力绷带或者弹力网套等辅助工具在瘢痕处加压包扎，造成瘢痕局部缺氧，帮助抑制瘢痕生长。

# 产后体质与体形恢复有妙招

4

如果你经常翻阅娱乐时尚杂志，会惊讶地发现：许多女明星在生完宝宝后很快就恢复了纤瘦的身材。如果你也想做一位健康又漂亮的新妈咪，那就依循科学方法来实现吧！

如今各种报刊、杂志、网络推荐的女性减肥方法五花八门，要在这么多的方法和介绍里，选择适合自己且科学有效的减肥方法实在有点困难。在了解产后新妈妈的基本生理特征后，新妈妈们应尽快选择适合自己的瘦身方法了。

## 不要错过产后体质恢复的最佳时期

作为一个女人，要想改变自身体质，有四个时期需要特别注意，分别是：月经初潮、妊娠期、分娩后和停经期。把握改变体质的良机，调节体能素质，就可以塑造完美体型。

自然分娩的妈妈可以在产后半个月的时候开始实施瘦身计划。剖腹产的妈妈，要在伤口愈合后半个月的时间再实施瘦身计划。其实，这时候的瘦身并不需要进行太过剧烈的运动。简单的行走、少量的做家事，睡觉前进行收腹、消除腰部脂肪的运动，以及午睡后做45分钟的哑铃操，都是适宜的瘦身方法。

生产三个月后，可以选择强度更大的运动，游泳是不错的选择。水中运动能提供足够的运动量，也可保护皮肤。半年后就可以进行跑步、跳绳等瘦身计划，按照这个周期定律来制定瘦身计划，就能抓住产后恢复身材的最佳时机。

除了带有运动量的瘦身计划，哺乳是帮助产后新妈妈恢复苗条身材的最重要的方式。分泌乳汁需要消耗大量的能量，能帮助减少产后新妈妈身体内的脂肪。所以，要坚持喂母乳，让宝宝和妈咪都健康。

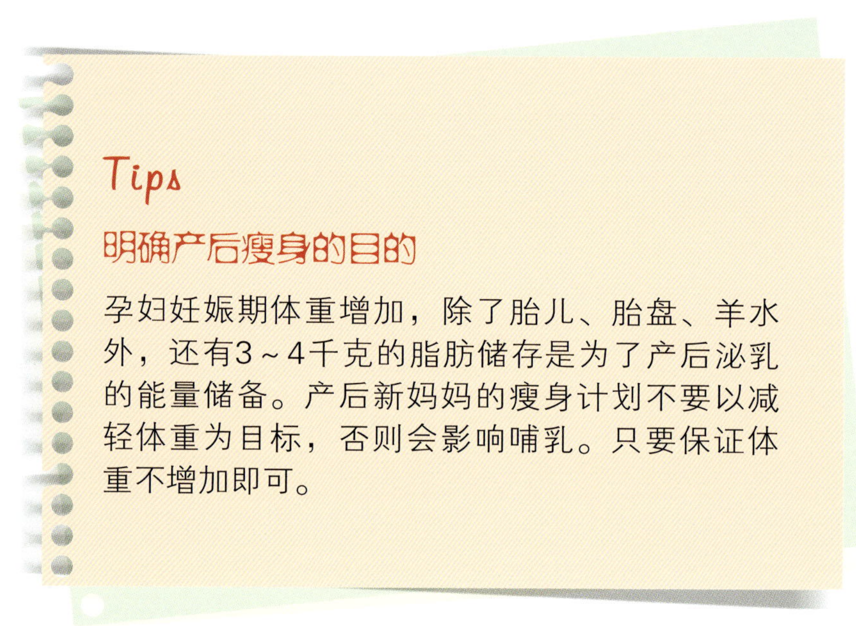

Tips

**明确产后瘦身的目的**

孕妇妊娠期体重增加，除了胎儿、胎盘、羊水外，还有3～4千克的脂肪储存是为了产后泌乳的能量储备。产后新妈妈的瘦身计划不要以减轻体重为目标，否则会影响哺乳。只要保证体重不增加即可。

## 合理动一动，体形更易恢复

前面我们已经了解了如何根据产后身体变化规律制定周期性运动，那么哪些运动最适合产后新妈妈呢？

### 1．上肢运动

是不是迫不及待地想穿上久违的漂亮内衣、吊带裙装呢？但是，看看自己粗粗的手臂，松垮的赘肉，又只好无奈地脱下来。如果你受到上肢肥胖的困扰，可以选择在早餐前做一个5分钟简易手臂伸展运动。首先，将一只手臂放到后脑勺，然后用另一只手压住手臂的手肘，用力压住1分钟，如此交换双臂运动，直到能感觉到手臂外侧的脂肪开始燃烧代谢。

## 2. 腰腹运动

腰腹运动除了能燃烧脂肪之外，还能帮助妊娠时分离的腹直肌恢复原来的形状和力量，保护内脏、骨盆等。做运动之前，需要让医生帮忙做简单的检查，看看肌肉是否处于恢复状态，可否承受腰腹运动。腰腹运动不可过于剧烈，可以选择在睡前实行。平躺后，双膝弯曲，双手放在腹部，收缩臀部后再将后背压向床面。

## 3. 下肢运动

下肢运动主要是帮助骨盆的骨骼肌肉恢复到原来的状态。在躺卧状态，试着紧闭或者提拉阴道和肛门，每8～10秒放松一次，如此，反复几次即可。要注意，身体其他部位需保持放松状态。

## 疲倦的新妈妈

## 产后恢复身体有哪些禁忌

现代科技的发达，使得许多传统观念的坐月子忌讳被忽略。但是，根据科学和医学的各种观点验证，产后要快速恢复身体，仍然有许多禁忌的条例需要新妈妈遵守。

### 1. 便秘时忌瘦身

由于身体水分流失和肠胃失调引发便秘时，不宜进行瘦身，否则病情可能会加重，对身体也不好。产后新妈妈要多吃富含纤维的蔬菜水果，补充大量水分。便秘痊愈后，再进行瘦身。便秘严重的时候要多喝酸奶和牛奶。

### 2. 贫血时忌瘦身

在没有解决贫血的问题时，不宜开始瘦身，否则会造成营养不良。多吃含铁丰富的食物，例如菠菜、鱼肉、动物肝脏等，能帮助解决贫血。

### 3. 忌食过多味精

产后新妈妈要少吃味精，因为新妈妈还要哺乳，而味精中的谷氨酸钠会对婴儿造成影响，导致婴儿缺锌，出现厌食、智力减退、发育迟缓等不良后果。

### 4. 忌急于进补人参

人参是非常好的补品，但是产后新妈妈用人参补充体虚，会产生相反的作用。人参含有多种有效成分，能对人体中枢神经产生兴奋作用，甚至导致服用者失眠、烦躁、心神不安。产后需要充分的休息和调理，而服用人参后会出现兴奋不安、难以入睡的情况。另外，人参能够加速血液循环和流动，对产后身体的恢复不利。

### 5. 忌多喝红糖水

红糖水是产后温补的佳品，但是摄取过量，会造成产妇汗多、气虚等症状，还会损坏牙齿。

## Tips

### 预防产后肥胖宜从下面着手

许多产后新妈妈为了尽快恢复健康，除了进食一些容易消化的食物外，更多是进食大量补品，来帮助营养补充和分泌乳汁。但是要注意，不要吃得太多，适量即可。进食富含纤维的蔬菜和水果很重要，否则会引起便秘，而且会影响日后的瘦身计划。

# 让身体恢复指数再高一点

外面阳光明媚，好久没有到户外运动的新妈妈们，不妨和家人一起走出房间，到空气清新、阳光明媚的地方活动一下，这对身体的恢复很有帮助哦。

分娩后，恢复健康是产后新妈妈的首要目标。但是，这段恢复的过程是较为漫长的，想要快速提高恢复指数，就要遵循科学的方法，制定适合自己的计划，切忌盲目快速提升，否则可能造成反效果。

## 提升恢复身材指数的妙招

提高身材恢复指数，要注意以下几个方面：

### 1. 充分的休息

产后新妈妈常常会为频繁的更换尿布、夜间为宝宝哺乳等问题感到烦恼。照顾宝宝的过程十分辛苦，常常造成新妈妈睡眠不足。睡眠不足导致大脑功能紊乱，造成新妈妈精神恍惚，反应迟钝，降低新妈妈的健康恢复速度。大脑是身体健康的中枢部分，只有它得到充分的休息，才能保证身体的健康。因此，良好的睡眠最能帮助产后新妈妈调节大脑功能，迅速提高恢复。

### 2. 恰到好处的营养摄取

首先分娩已经消耗新妈妈大量的能量，接下来的哺乳、照顾婴儿等繁重的事情更消耗新妈妈的营养和能量。所以加强营养的摄取，对新妈妈和宝宝的健康都非常重要。但是需要注意，过量的营养摄取会衍生出更多的健康问题，比如肥胖、高血压、营养过剩，等等。因此，新妈妈需做到，根据身体的恢复情况，适量摄取各种营养，恰到好处为最佳效果。

### 3. 保护“秘密花园”

分娩后，会阴部会感到酸、胀、疼。如果分娩过程中有撕裂或者侧切，那么疼痛就不可避免。想让“秘密花园”有良性的恢复，必须要小心翼翼地呵护。一般医院会采用物理疗法，但必须注意的是，止痛片的服用要在医生指导下使用。

除了帮助伤口尽快恢复，避免疼痛之外，也要注意阴部日常的护理：首先，是干燥和清洁；其次，要注意产后两个月内不可有夫妻生活。

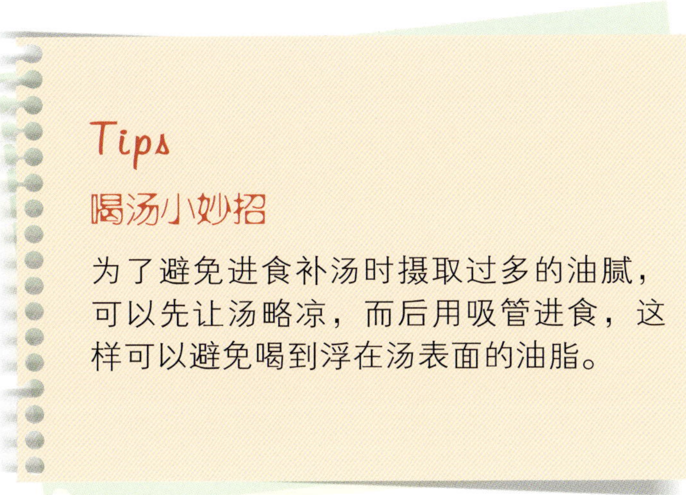


## 好好制定一下自己的健身计划

产后新妈妈都希望很快能恢复纤瘦的身形，但同时千万不要忽略了健康的重要性。瘦身计划必须在保证健康的前提下进行，即要在不影响健康的情况下制定瘦身计划，才是两全其美的方法。

制定产后健身计划，主要遵循四项原则：

### 1. 避免剧烈运动

选择轻、中度的有氧运动，并持之以恒，能有效防止反弹。不可急功近利，不可好逸恶劳，应心态平和，才能够有效地贯彻瘦身计划。

### 2. 选择适合的运动场所

运动场所要通风良好，空气清新，室温保持在20℃～22℃、湿度50%～60%为宜。太硬或缺乏弹性的光滑地板容易导致运动受伤，所以，在运动前，要选择软质的地面或铺上地毯。

## 3. 选择合适的穿着

选择透气性好、宽松、吸汗的衣服为宜。不要穿太厚的衣服，如果太冷，可以多穿几件衣服，这样可以随着运动发热而逐步减少衣物。避免穿过紧的衣服，否则会阻碍血液循环。

## 4. 锻炼前的准备活动要做好

制定产后健身计划要循序渐进，由床上运动逐渐过渡到产后健身操，再逐渐发展为各类有氧运动。这样做的目的，除了科学的健身外，也是为了防止肌肉和关节部位的损伤。

## 甜食的害处

## 这些细节问题不能忽视

重视下面几个小细节，并精心护理，可以让产后新妈妈的身体恢复得更好。

### 1. 水肿

一般女性在妊娠时，就已经开始出现水肿。有些女性分娩后，水肿却依然不消，主要是因为子宫变大影响血液循环，代谢水分的状况变差。当然，水肿的现象如果伴有气喘、高血压、蛋白尿，则可能是心、肝、肾或者甲状腺的问题。要解决水肿问题，需要减少盐分的摄取，多吃利水、利尿的食物，如红豆、红糖、生姜熬煮的汤能帮助血液循环，增强水分代谢。

### 2. 出汗

前面我们已经提过，产后新妈妈很容易多汗，这主要是因为体虚。身体内水分过多，排泄的主要方式除了尿液，就是汗液，结果导致产后新妈妈出汗。但只要不是大汗淋漓，就只要做好日常护理，保持清洁卫生，保证清淡的饮食即可改善出汗的情况。

### 3. 产后疼痛

产后疼痛主要指的是身体与分娩有关的部位疼痛，分为子宫疼痛和耻骨疼痛。子宫在恢复过程中会发生收缩，造成抽搐疼痛。而耻骨疼痛较难护理，这是因为分娩过程中，胎儿经过盆腔，骨盆发生松弛，造成耻骨分离，这种疼痛需要逐步运动调理才能恢复。如果情况严重，可以使用止疼药，或者热敷。

**Tips**

**产后的乳房疼痛**

很多新妈妈分娩后，乳房会因为内分泌的变化而胀痛。解决胀痛的方法主要是哺乳，除此之外还可以利用热敷的方法改善。如果不喂母乳，选用稍紧的内衣，可以防止乳房分泌乳汁而减缓疼痛。

# 正确做操，体形很快就恢复了

瑜伽、普拉提、有氧运动、平衡操、拉丁舞等各式各样的健身运动让人眼花缭乱。如何选择适合产后新妈妈的运动，各类书刊、杂志和电视节目都有推荐。想从大量的信息里选择适合自己的健身运动，首先要对自己的身体和健康习惯有正确的认识。

了解自身的情况，结合适当的运动，对快速恢复体形很有帮助。新妈妈保持愉快的心情对自己和宝宝都很重要，运动则是帮助调整心情的最佳方式。运动的过程中，需要时时注意：多喝水，保护伤口，运动强度保持轻松缓慢，多听取医生和助产士的建议、运动量保持在能力所及的范围内。

## 新妈妈有必要学习的体形恢复操

许多女性产后疲劳，身体不适，所以忽略了产后运动的几个要点。其实产后24小时，就可以开始适当地增加活动量，开始有计划地做康复操。

做康复操前，要注意几个细节。首先是充分的休息，将大脑、小脑和身体调节好，消除疲劳，充沛精力；其次，剖腹产的情况，需要等伤口拆线后才开始；最后，饮食和运动要同步，否则可能出现体力透支的情况。在保证这些细节的前提下，就可以迈出恢复的第一步。

1．腹肌的锻炼：直立、膝盖微弯、弯腰，让躯干与地面平行；双手扶住膝盖，脸朝前方；吸气、收紧腹肌、呼气。重复10～15次。

2．踩脚踏车运动：仰卧，双手放在身体两侧；收紧腹肌，双腿抬起与身体呈90°，做踩脚踏车状。重复40～60次。

3．腿部的锻炼：仰卧，将双手放在臀下，将肩部微微抬起；双腿并拢并屈膝，让小腿保持离地，然后用力伸直。重复30～60次。

4．扭身运动：仰卧，双手抱头；左脚伸直离地，右腿弯曲，向上提起，用左肘部接触右膝盖；收缩腹肌，左腿屈膝，向上提起，与右腿并拢；右腿伸直，左腿保持屈膝姿势，扭转身体，相反方向重复以上动作。重复20～40次。

5．下颌的锻炼：仰卧，双手抱头；背部紧贴地面，屈膝，脚跟着地；收紧腹肌，尽量将下颌抵住胸部，然后抬起，再抵住，再抬起。重复20～40次。

## 更换运动鞋

## 重点推荐：八小节产后瘦身操

这是一套简单易学的产后瘦身操，能锻炼全身，每天坚持做一次，能让产后新妈妈恢复理想身材。此产后瘦身操共分为八个小节。

第一节：深吸一口气，然后用力收腹，当感觉到前胸贴后背时，完全放松，然后呼气。

第二节：吸气，最大限度绷紧臀部肌肉，然后放松，呼气。

第三节：双手放在胸前，双掌互相用力挤压，均匀呼吸。

第四节：头部缓缓后仰，双手伸直高举过头顶，深吸气；慢慢放下双手，将头尽量贴紧胸部，呼气。一天三次，每次重复2～6遍，之后逐渐增加至一天10次。

第五节：直立，双脚张开与肩同宽，双手紧贴大腿两侧；缓慢向前低头，肩部向前倾，肘部外张；踮脚尖，抬起身体，舒展肩膀，抬头挺胸，缓缓收起肘部。

第六节：直立，十指交叉相握，手心向下；缓慢将双手上举，手心朝上，身体左侧弯曲，左脚撤出；回到直立姿，换右边。

第七节：双手自然下垂，左脚横跨成弓箭步；身体向左倾斜，双臂两侧举起，双眼直视高高抬起的双手。

第八节：直立，双脚张开与肩同宽，双臂向前举起，并将手心朝下，身体前倾，最后回到立姿。

需要注意的是：运动量要缓慢增加，不可心急，要循序渐进，以身体能够承受的压力为前提，否则，可能会导致反效果。

还要提醒一下，自然生产的妈妈产后4～6周可以开始做八小节产后瘦身操，而剖腹产的妈妈需要6～8周以后再做操。

## 有氧运动最适合产后恢复

有氧运动是指由糖、脂肪、蛋白质在氧的参与下分解为二氧化碳和水，释放大量能量的运动方式。它通过血液将氧气输送到身体各部位来燃烧脂肪。有氧运动的优点是强度低、有节奏、不中断、持续时间较长，动作较为舒缓，技巧要求也不高，非常适合产后新妈妈恢复虚弱的身体。

产后新妈妈如果想要拥有苗条优雅的身材，就要消耗体内多余的脂肪，而有氧运动则可以通过有氧代谢来分解脂肪。如果运动强度太小，身体里储存的三磷酸腺苷就可以提供能量，达不到有氧运动的目的。而对于产后新妈妈，有氧运动的强度达到中度就可以了。也就是说，每晚饭后散步30～45分钟就可以达到效果。

## 瘦身贵在坚持

Alisa：“哎呀，我觉得最近的运动不是很有效果，老公你有什么好的建议吗？”

俊安：“你几个星期才练习一次，会有效才怪呢！”

Alisa：“哎呀，你又不是不知道，我最缺乏毅力啦！”

俊安：“为了早日穿上衣柜里的漂亮衣服，你就每天坚持5分钟吧，很快就会收到效果的！”

## 被窝里也可以做的健身操

不想离开温暖的被窝怎么办？那就选择在被窝里做一些健身操吧。

1．体操姿势：身体平卧，头保持正直，挺胸收腹；运动时每一步骤开始时深吸一口气，步骤进行时呼吸暂停，然后慢慢呼出。

2．腹部运动：仰卧，两臂上举至头两侧，与耳平行；深吸气，腹肌收缩，让内脏提向上方；然后慢慢呼气，两臂收回。

3．腰背臀运动：仰卧，髋与膝微微弯曲，双脚平放，双臂放在身体两侧；深吸气时尽力抬起臀部，使背部离开床，然后慢慢呼气放下臀部。

4．提肛肌：仰卧，双膝微微弯曲并分开；双脚平放，双手放在身体两侧；用力将双腿向内合拢，同时收提肛门，然后放松腿，再放松肛肌。

### Tips

#### 有助于子宫恢复的睡姿

产后一周内，可以利用一些姿势促进子宫恢复正常。具体做法是：俯卧，将枕头放在腹部，脸朝向一边，保持正常呼吸。随着身体的康复，可与其他运动操一起做。

# 针对腰腹部的产后恢复疗法

为了可爱的宝宝，妈妈的牺牲可谓是巨大的——身材走样，皮肤松弛，气血不足。当然，只要合理地调养，很快就能恢复生产之前的青春和美丽。首先是身材，而身材首先要恢复的是胖了一圈的腰腹部。

面对一层又一层的“游泳圈”，产后新妈妈不要采取一般人减肥的方法来瘦腰腹，因为分娩的原因，女性腰腹部形成的赘肉与其他肥胖者腹部的赘肉有显著的区别。了解生理变化的原因和规律，才能更好地有针对性地进行腰腹部恢复计划。

## 恢复腹壁弹性宜这样做

由于妊娠十月，子宫快速膨胀，腹壁受到影响，导致肌纤维增生，弹力纤维断裂。分娩后肌肉会立刻松弛下来，造成整个腹部向前或者向下悬垂，形成“悬垂腹”。有些新妈妈很幸运，没有发展成“悬垂腹”，但还是出现腹部胀出、腹壁松弛的现象。

腹壁松弛的危害性是不能忽略的，它可能诱发各种疾病。比如腹肌软弱无力，不能增加腹内压帮助排便，造成产后新妈妈便秘；还有腹部向前突出，身体重心前移，为了平衡重力，背部肌肉受到牵扯，腰椎前突，引发腰肌受损，导致功能性腰痛；有的产后新妈妈因为腹部脂肪堆积过多，导致血液循环不畅，引发消化不良等症状。因此，必须重视恢复腹壁，尽快使新妈妈恢复小纤腰。

如何快速恢复腹壁呢？首先，从增强腹肌的运动和全身性的锻炼两方面开始。选择合适的腹部运动，比如屈腿运动、举腿运动、踩脚踏车，等等。

1. 屈腿运动：仰卧，两腿屈膝，向腹部紧贴，然后还原，重复15次。
2. 举腿运动：仰卧，两腿伸直举起，然后慢慢放下，重复15次。

其他的如踩脚踏车和仰卧起坐的运动非常简单，按平时的做法去做即可。

Tips

恢复腹壁不能急

许多女性分娩结束后不久，就开始进行剧烈运动或长时间的运动，这样做是不对的。一般腹壁紧张度会在产后6周左右逐渐恢复，在此之前的剧烈运动会造成永久性损伤。

## 产后护腰有技巧

腰部是肾脏、脊椎所在处，非常重要。腰部的损害，除了会造成腰部肌肉劳损，还可能损伤肾脏，造成血液循环不良、排尿系统，以及腰椎的各种问题。所以在消除腰部赘肉的时候，还要注意保护腰部的健康，不要让它受凉、受损。

1. 保证充足的睡眠。睡眠时还要注意，经常更换姿势，避免因长时期一种睡姿引起腰部过于僵硬和损伤。
2. 清晨起床时适当活动腰部，舒展腰肌。平时按摩、热敷和淋浴都能帮助血液循环，改善腰部状态。
3. 要注意腰部保暖，受凉后会产生疼痛，要注意增加衣物，不要穿露脐装。
4. 要注意劳逸结合，不要过度运动，要适当地放松和休息。
5. 注意控制体重，避免增加腰部的负担。

6. 产后不要过早穿高跟鞋，高跟鞋会增加脊椎的压力，柔软的平底鞋是最好的选择。
7. 还要放松精神，保持愉快的心情。过度的紧张会提高激素含量，促发腰椎间盘突出，导致腰痛。
8. 健康的饮食搭配，牛奶、杂粮、胡萝卜等富含维生素和蛋白质的食物是很好的选择，帮助钙质吸收，避免骨质疏松和腰痛。

## 能用水果代替正餐吗

## 恢复平坦小腹宜这样做

产后新妈妈的肚腹部位恢复和保养是非常重要的。腹部保护内脏，还是身形优美的决定性部位。那么，如何才能正确恢复平坦小腹呢？

### 1．咨询专业人士

专业人士主要是指医生、营养师，他们从医学和营养学的角度，了解产后新妈妈腰腹赘肉形成的主要原因和解决方法。千万不要自己胡乱吃药，或者听信非专业人士的建议，否则很可能会有副作用和反效果。

### 2．保持排便顺畅

前提条件是一定要咨询专业人士，尤其是产后新妈妈要注意防止便秘。便秘是造成腹部赘肉迟迟不减的主要原因。建议每日饮水量至少达到2000～3000毫升。而含有大量纤维素和维生素的水果和蔬菜都是防止便秘的好帮手。蛋白质也不可缺少，深海鱼类、水煮蛋、各种肉食都可以帮助新妈妈摄取足够的蛋白质。

### 3．瘦腹小窍门

在办公室里，可以做一些小的瘦腹运动，方法非常简单：站立或端正坐姿，然后吸气，收腹，持续几秒钟后呼气，1分钟之内重复做15～20次。

Tips

### 多吃黄豆芽能瘦小腹

黄豆芽中含有大量蛋白质、维生素以及纤维素，能够帮助修复分娩时受到的损伤，还能增加血液循环，润肠通便，防止便秘。黄豆芽是产后新妈妈必备的饮食佳品。

# 产后身材恢复一点通

8

适量的运动与合理的饮食，通常都是保持健康和好身材的必备法宝，产后新妈妈要想快速恢复好身材，就要紧紧地把握这两项必备法宝。纤细的小蛮腰、平坦的小腹、修长的美腿，一个都不能少喔！

产后恢复不仅关系到身材问题，还关系到产后新妈妈的心理健康，以及一家人是否能开心快乐地生活。所以重视产后恢复不仅是产后新妈妈一个人的事情，还需要家人的大力支持和无尽关怀，监督加帮助，尽其所能协助她们吧！

## 产后恢复身材的十种妙招

妇产科专家为产后新妈妈专门设计十招，用来增强腹壁及子宫肌肉的恢复，帮助排出恶露，并加速血液循环，以防止产后淤血和血栓形成。这十招还能保证乳汁的分泌。这么有效，究竟是哪十招呢？

第一招：平躺，两腿轮流举起，让腿和身体保持垂直后，慢慢放下。重复此动作5～10次。

第二招：平躺，将两腿伸直，并将双臂紧贴身体两侧，挺胸、收腹、提臀。每日早晚两次，每次10遍。

第三招：平躺，在臀部下垫个枕头或者垫子，两腿上举，脚尖绷直与身体垂直，慢慢放下。重复5～10次。

第四招：站立，两手背在身后，肩部保持水平，上身前倾直至背部与地面平行，然后还原。重复5～10次。

第五招：平躺，两臂上举，脚尖绷直，吸气收腹，然后还原，放松腹肌。每日2次，每次3～4遍。

第六招：仰卧，双腿合拢，屈膝，臀部向上举起，恢复。每日2次，每次3～4遍。

第七招：俯卧，两腿并拢，屈膝，尽量使脚跟接近臀部，每天坚持运动可以帮助子宫恢复到正常位置。

第八招：仰卧，双手抱头，坐起，躺下，以仰卧起坐的方式进行。

第九招：俯卧，两臂往前伸，大腿与床垂直，胸部紧贴床。每日2次，每次15～20分钟。

第十招：平躺，头部分别向左右转动，同时将脚踝关节屈伸。重复15～20次。

Tips

### 沐浴后别忘了放松一下

淋浴后，可以用收腹霜按摩一下小肚子。仰卧，放松自己，逐步收紧脚、腿、臀、手臂和脸部的肌肉，保持10秒后全部放松。重复2～3次，会让自己非常轻松。

## 四步教你恢复纤细美腿

产后新妈妈最常遇到的腿部问题，可能要数腿部静脉曲张和水肿，可能还有因为缺乏运动造成的肌肉萎缩。另外，运动不足还会导致脂肪大量累积在腿部，进而出现萝卜腿。

想要让腿部看起来纤细修长，首先要注意饮食，摄取过多高热量的食物又缺乏运动的话，热量就会转化为脂肪，并大量累积在皮下，低糖、高纤维的水果蔬菜能帮助瘦身。其次，要保持良好的站、立、坐、行姿势，尤其是柜台销售人员和办公室女性，长期保持同样的站姿或坐姿，会阻碍血液循环，造成静脉曲张和肥胖，时时活动四肢，做做伸展操是非常有必要的。另外，还要有足够的饮水量，以促进新陈代谢，更快地加速瘦身、瘦腿。

下面介绍几种塑造美腿的简易抬腿操，新妈妈按照以下步骤坚持做，一定能塑造出孕前的美腿来。

第一步：单腿站立，一条腿抬起贴在墙上，让大腿和小腿呈90°，每次坚持15～20分钟。

第二步：仰卧，双手放在身体两侧，双腿并紧往上抬，和地面呈30°，保持5秒后，缓缓放下。每天练习10次。

第三步：坐在地上，两腿伸直，腰部挺直；手臂放到身后，手掌撑住地面；吸气，脚尖上翘；呼气，脚尖伸直。

第四步：仰卧，双腿分开伸直；双手放在身体两侧，吸气；左脚伸直与地面呈90°，足尖翘起，放下。双脚交替进行。

## 老公的礼物

Alisa：“亲爱的，今天不是节日也不是生日，怎么想到送我礼物啊？”
俊安：“打开看看不就知道了？老公送你的，当然是你最需要的啦！拆开来看吧。”

Alisa：“亲爱的，这是专门的静脉曲张袜？太好了，我早就听Cherry说过，这是美腿的必备物品啊！”

## 不可忽视的筋骨酸痛

分娩是一件非常辛苦的事情，其运动量不亚于一次马拉松比赛，即使是自然生产，也会导致骨骼肌肉造成损伤，尤其是臀部、腰背部的骨骼肌肉最容易在分娩过程中受到损伤。不过有的产后新妈妈会认为这是正常的现象而疏忽保养，那么很可能会加重症状。

分娩后，女性如果在日常生活中仍旧没有注意保持良好的姿势，或者长期保持某一种不良姿势的话，等待你的可能是颈部肌肉损伤、颈椎骨长出骨刺、肩胛骨疼痛、腰背部肌肉酸痛、手臂麻痹等一系列不良症状。

产后新妈妈在日常生活中一定要避免运动过量，生活中、工作中都要保持良好的姿势，经常做一些伸展运动，帮助舒缓骨骼、肌肉的压力。另外，还要补充足够的钙质，对预防骨质疏松等骨骼的不良发展很有帮助。

### Tips

#### 产后新妈妈怎样补钙

建议每日服用250毫升的牛奶，如果有乳糖不耐症，可以用酸奶代替。多吃豆类食品，100克左右的豆制品能够提供100毫克的钙，奶酪、虾米、芝麻、花椰菜等食物能够保证足够的钙质吸收，还有多晒太阳也能帮助补钙哦！

# 饮食加心理调理：吃出火辣身材，保持美丽情绪

1. 产后瘦身，饮食需知
2. 火辣身材，饮食制造
3. 产后饮食瘦身法则
4. 生完宝宝，千万可别忧郁
5. 自信的妈妈最美丽
6. 产后忌忽视情绪的变化
7. 快乐才是生活主题
8. 学会自我减压，生活更轻松
9. 怎样扮演好自己的新角色

合理的饮食能保证新妈妈产后身体健康，精力充沛，再加上适当的心理疏导，能使新妈妈的心理状态保持稳定。分娩后的新妈妈，面对的是完全不一样的生活，人生角色也完全转变。新妈妈心理状态的稳定，是一个家庭美满和谐的重要因素。

# 产后瘦身的饮食策略

1

产后新妈妈的身体状态比较特殊，不仅自己要摄取足够的营养，还要提供足够的营养给宝宝，不能只想恢复苗条身材而过分节食。

采取喂母乳的新妈妈首先要考虑必须摄取充足的营养才能产生奶水，另一方面，为了尽快恢复往日的苗条身材，又不得不控制饮食。那么，有没有两全其美的方法呢？答案是：合理的膳食，讲究的滋补，各种科学的食谱，还是可以做到的。

充分掌握科学饮食的方法，就能保证自己和宝宝的健康，也能很快让自己恢复美丽。需要注意的是，有些饮食的错误认知和忌讳方法，不可以胡乱尝试。快来了解一下吧，让自己的生活更丰富。

## 哪些饮食元素有助于恢复身材

新妈妈所需营养食物对照表

| 营养素 | 食物来源 |
| --- | --- |
| 碳水化合物 | 谷物、地瓜、马铃薯、栗子、莲子、藕、蜂蜜、糖等。 |
| 蛋白质 | 瘦肉、深海鱼、蛋、乳鸽、鸭、花生、豆类等。 |
| 脂肪 | 花生仁、核桃仁、葵花籽、菜籽、芝麻等。 |
| 矿物质 | 油菜、菠菜、芹菜、雪里蕻、荠菜、莴苣、小白菜、猪肝等。 |
| 维生素 | 胡萝卜、韭菜、苋菜、小米、玉米、面粉、水果等。 |
| 微量元素 | 可可粉、无花果、杏仁、巧克力、扁豆、芦笋、香菜、草莓等。 |

其实，产后的营养摄入宜均衡，务必做到不挑食。不能多吃加工食物，应多吃杂粮和新鲜蔬菜，保证多吃水果、多喝水，饮食结构基本上就不会有什么问题。不过，除了补充各类营养素，一些有足够营养的保健食品也可以摄取。但是，这需要遵照医生或专业人士的建议，不可盲目地食用，尤其是喂母乳的妈妈。

Tips

### 产后营养摄入的错误认知

分娩后的女性，需要大量的动物性脂肪食物，用以滋补。这种饮食容易导致高热量和高脂肪的摄取，不利于营养的均衡，在食用动物性脂肪食物的时候，谷类和纤维类食物是不可或缺的。

## 产后饮食恢复的五大策略

要落实饮食和运动搭配，才能更快地恢复身材，甚至打造完美身形。认同饮食策略，坚持原则，不要被其他的美食诱惑。

策略一：控制脂肪的摄取量。将食谱中动物性脂肪的比值控制在“≤植物性的脂肪”，如此一来不仅能提供足够的脂肪，更能消除多余的脂肪，帮助产后新妈妈保持完美身形。

策略二：严格控制热量。维持热量摄取和消耗的平衡，尽量少食甜食、糖果、油炸食品等食物。

策略三：增加钙和锌的摄取。乳制品、豆类食品、海鲜产品等都是补钙和补锌的不错选择。一般情况下，只要注意饮食的合理搭配，就不需要特别去服用钙片、补锌制剂等。

策略四：保证新鲜蔬果的摄取。蔬菜和水果每日摄取量不可少于500克，还要注意两者的搭配。如果水果的含糖、含淀粉量较高，就要选择富含纤维素、维生素的蔬菜作为搭配。

策略五：适量摄取食盐。食盐每日用量不超过2～4克，酱油不超过10毫升，尽量避免腌肉、腌菜、食盐以及苏打制作的食物。

## 少量多餐

俊安：
“老婆，快来看看，
‘妇产科医生建议女性产后采取少量多餐的进餐方法，这样对胃肠功能比较好……’”

Alisa：
“难怪我经常会觉得胃好胀，看来我以后得改变一下进餐方式。”

俊安：“上面还说这样对恢复身材很有效呢！”

Alisa：“那就更要试一试了。”

## 补充营养时不可忽视消化不良

妊娠期间，胃肠已经开始受到子宫的压迫。分娩后，在忽然减轻压力的情况下，一时之间胃肠还不能马上适应，再加上大量滋补食品的高热量和高蛋白，于是胃肠消化不良就这样发作了。

胃肠消化不良会大大地影响产后新妈妈和宝宝的健康，如果恢复得不好，就会长期影响产后新妈妈的身体恢复和宝宝的成长，所以一定要重视这个问题。胃肠消化不良最明显的症状是打嗝、食欲不振、泛胃酸等，都是不利于食物吸收的情况。有消化不良症状的产后新妈妈，可以服用一些帮助消化的药物，比如多酶片（Combizym）、乳酶生（Lactasin）等。

当然，适当的饮食习惯才是最重要的。首先，要注意饮食结构平衡，进补的同时要多吃蔬果，拒绝过分油腻的食物。食物要细软，利于产后新妈妈吸收。少量多餐是一个不错的方式。还要注意，不要食用辛辣的食品，这样会加重胃肠的负担。此外，多喝牛奶也能起到保护胃部的作用。

### Tips

#### 保持食物的原汁原味

保证食物的原味是很重要的，新鲜的水果比果汁更能增加饱腹感。食用水果的时候，不用加色拉酱，色拉和糖会增加热量，达不到瘦身的效果。不要食用干果，新鲜的水果水分充足，比干果更有营养。

# 火辣身材是吃出来的

产后新妈妈饮食方面的主要目的是补气血、补充母乳和恢复身材。想要同时达到这三个目的，饮食结构必须合理。对产后新妈妈来说，一日三餐食物种类丰富且不挑食，基本上就能达到饮食结构合理。但情况果真是这样吗？

饮食构成主要由主食、副食和水果组成。选择以杂粮、粗粮为主的主食，高蛋白低脂肪的肉食，富含纤维素和维生素的蔬菜，以及各种新鲜的水果，这样的饮食结构是最为合理的。如果身体实在过于虚弱，需要补充各类滋补品时请一定注意，不要过量。遵循饮食规律和少量多餐的原则，对胃肠消化功能最为有利。

## 火辣身材的“饮食制造法”

想保持健康火辣的身材，坚持合理的饮食方法是很重要的。那么，什么是合理的饮食方法呢？

1．足够的钙质摄入。坚持每天早晚喝一杯牛奶，牛奶的营养丰富，还能够让新妈妈产生饱腹感，不会因为饥饿而大吃特吃，在一定程度上保证不会过量进食。牛奶的钙质还能提供产后新妈妈在骨骼和肌肉等方面的营养需求。

2．三餐含深绿色蔬菜。深绿色的蔬菜富含纤维素、胡萝卜素、维生素等营养素，例如花椰菜、豌豆苗、小白菜、空心菜等。每餐吃一些这类蔬菜能帮助消耗热量，预防便秘。

3．主食不可少。有些新妈妈用水果蔬菜代替主食来瘦身，这是不可以的。

不吃主食会产生过多的代谢废物，对健康不利。主食的选择要以杂粮、粗粮为主，比如燕麦、玉米、地瓜，这些富含膳食纤维的主食能帮助增加饱腹感，不会过量饮食。

4．选择好的食材。能控制热量和营养的低蛋白、低脂肪食物是较好的食材。如果是同类型食材，脂肪少且热量低的食材更健康合理，比如可用鸡肉代替猪肉。食材的选择，还要注意新鲜。新鲜的食材富含较多水分和营养，更能维持身体的健康。

Tips

清凉银耳羹

准备一些白木耳、红枣、冰糖、桂花。将白木耳泡好洗净，用水煮烂，加入冰糖、红枣和桂花。此道药膳不仅清凉爽口，滋阴补阳，还适合心烦气躁的产后妈妈。

## 饮食瘦身贵在“搭配”二字

产后新妈妈的饮食以主食、副食和水果互相搭配为主，但是饮食搭配还有三个最重要的原则。

原则一：干稀搭配。每餐食物要干稀搭配，干的食物可以提供足够的食量和营养的供给，而稀的食物则能提供足够的水分。产后新妈妈失血过多，需要大量补充水分，因为要喂母乳，更需要足够的水分来分泌乳汁。而食物中干稀搭配，比单纯饮水补充水分更好。比如煲汤，既有营养，又能开胃，而单纯喝水则会冲淡胃液，降低食欲。

原则二：荤素搭配。偏食会造成营养素的缺乏。大部分产后新妈妈在分娩后大量进补鸡鸭鱼肉，忽视其他食物的摄取，造成营养不均衡。荤素搭配的食物原则可以避免这种情况。富含纤维素和维生素的蔬果，能促进胃肠蠕动，促进消化，还能防止便秘，所以荤素搭配是非常科学的饮食原则。

**原则三：咸淡搭配。**有人认为，产后新妈妈要尽量吃的清淡，这种观点不完全正确。饮食宜清淡，但是各种调味都不可或缺，除了增加胃口，促进食欲外，还能增加一些碘、锌等微量元素。

## 无需特别忌口

## 产后日常饮食安排有“三忌”

产后新妈妈日常饮食虽然不用忌口，但是在饮食的规划上，还是有三项忌讳：

**忌讳一：提早节食。**许多产后新妈妈为了迅速恢复体形，过早开始节食。这样对产后新妈妈和宝宝的健康十分不利。不仅不能节食，还要多吃营养丰富的食物，保证每日摄取2800卡的热量。

**忌讳二：过量摄取红糖水。**产后新妈妈进食红糖水，能够补充血气和热量，增加大量的铁质。但是要注意，红糖水虽然有舒筋活血的功效，但过量服食的话，会对子宫的复原不利。一般产后10天，子宫开始收缩，恶露减少，但是过量喝红糖水则会让恶露血量增多，造成继续失血，所以红糖水适量补充即可。

**忌讳三：多吃鸡蛋。**许多产后新妈妈为了补身，大量食用鸡蛋，甚至将鸡蛋当做主食。其实孕妇每天摄取100克的蛋白质即可，也就是说每日3～4个鸡蛋已足够，不用多吃鸡蛋，否则会造成肠胃负担，容易引发胃病。

Tips

### 避免B族维生素的流失

现代人大多食用精制食物，这些加工过的食物中维生素B族已经遭到破坏，不能补充人体所需的B族维生素，淘米的时候不要过度搓洗，可有效预防B族维生素的流失。

# 3 产后饮食的“567”瘦身法则

产后新妈妈身体较为虚弱，在大量补充营养的情况下，还要保持往日的青春美丽，这是一个非常艰巨的任务。那么，什么样的饮食法则才能同时符合这两项要求呢？

关于产后饮食瘦身有“5项法则，6个要点，7点注意事项”，掌握这些内容，既能保证补充营养，又能瘦身。当然，除了饮食，还要注意多做运动，以及心理状态的调节。下面我们就详细介绍这5项法则、6个要点和7点注意事项。

## 产后新妈妈要知道的“饮食瘦身5法则”

想要遵循科学的饮食瘦身法则，就要改变原本的饮食规律，这对许多人来说都是很困难的。但是，要维持健康和瘦身，就一定要循序渐进，调整饮食规律。这里有5法则需要大家掌握。

法则一：三餐要定时。三餐不规律，会造成身体的新陈代谢率降低，延缓减重效果。当然，最好的方法是少量多餐，但要注意早餐与午餐的分量要足够，而晚餐要尽量减少，避免增加身体的负担。

法则二：改变进食顺序。产后新妈妈需要足够的营养，想要达到瘦身效果，改变进食的顺序是有必要的。先食用蔬菜和汤，让胃有饱腹感，然后再吃主食和肉类，这样蔬菜的纤维素就能帮助消化。

法则三：尽量少放调味料。高油烹制的食物，含有很高的热量，加入奶油和盐水的高热量食物以及油炸食物，会因高热量和高脂肪，对健康和瘦身造成双重伤害。

法则四：选择含糖量少的食物。人体血糖上升，会刺激胰岛素分泌，将血糖转化为脂肪。所以含糖量高的食物，比如蛋糕、饼干、糖果，都会转化成脂肪。

**法则五：每天喝2杯牛奶。**牛奶的脂肪含量只有3%，又含有丰富的蛋白质、钙质，及维生素A、维生素B族。多喝牛奶还能够增加饱腹感，又不易发胖，是饮食瘦身的最佳食品。

Tips

**瘦身食谱“苹果山药泥”**

食材：苹果1/2个，山药100克，牛奶200毫升，肉桂粉1匙。

做法：苹果和山药去皮洗净，切成小块，放入果汁机加牛奶打成果汁。最后加入适量的肉桂粉。

小贴士：苹果山药泥能平衡血糖，调整女性荷尔蒙代谢，更有瘦身的效果。

## 有助产后瘦身的“饮食6要点”

产后新妈妈摄取的卡路里应该控制在1800～2000卡，建议多吃容易产生饱腹感且低卡路里的食物。哪些食物有这样神奇的魔力帮助瘦身呢？

### 1．蔬果代替零食

嘴馋的时候，用蔬果来代替零食，比如西红柿。

### 2．不吃生冷食物

生冷的食物会让身体细胞的温度降低，影响热量的正常代谢和正常的血液循环，聚集在体内的代谢废物就很难排出，形成排毒性差的肥胖体质，所以不要吃生冷的食物。

### 3．适量的纤维摄取

纤维质能够帮助增加粪便的体积，促进排便顺畅。多数产后新妈妈因为妊娠时子宫对胃肠的压迫，造成便秘的情况。这种情况，摄取适量的纤维质就能够改善。但是，分娩后，身体需要大量的营养素来帮助身体修复，此时摄取过量的纤维素，会干扰营养素的摄取，所以纤维素的摄取一定要适量。

### 4．不食用加工过的食品

加工过的食物大多含有过多的化学用品和盐分，这些都会对身体产生极大的负担，尤其对肾脏更是如此，所以加工过的食品尽量不要食用。

### 5．定时定量

饭量对体重的影响很重要，如果每日能定时定量，就能控制体重的增减。

为了控制饭量，可以增加菜量，这样就可以保证摄取足够的营养，又不会有饥饿感。

## 总食剩饭剩菜

## 做到这7点，保证你愈吃愈瘦

产后新妈妈要控制营养和瘦身的均衡，在饮食过程中要注意以下7点：

1. 充分咀嚼后再咽下。充分的咀嚼能够保证营养摄取，还能够帮助消耗能量。

2. 延缓用餐时间。用餐时间如果超过20分钟，脑部会发出饱食信号，控制进食量。

3. 吃饭时不要看电视。看电视会增加饭量，所以想瘦身，请关掉电视机。

4. 饭后要调整心情。饭后要保持愉快的心情，将餐桌收拾干净，会让你的心情更愉悦。

5. 规律的饮食习惯。规律的饮食习惯能减少体内脂肪，避免进食的时间过长和在夜间进食。

6. 不要陪客人吃饭。陪客人吃饭会让你不自觉地增加饭量，所以要瘦身就要拿出意志力。

7. 限定吃饭的场所。特定的吃饭场所能减少吃零食的几率。

### Tips

**营养又瘦身的“海鲜浓汤”**

食材：洋葱末2匙、鱼片2个、淡菜2个、胡萝卜丁2匙、蘑菇3～4颗、青豆仁2匙、无糖豆浆200毫升、牛奶200毫升、奶油1匙、盐少许。

做法：先加入奶油，爆香洋葱，放入淡菜、鱼片稍微翻炒，再加入胡萝卜丁、蘑菇、青豆仁、无糖豆浆及牛奶加热煮熟，最后加入盐即可。

# 4 刚生完宝宝，可别忧郁哦

分娩后，许多新妈妈开始担心，怕自己无法将宝宝照顾好，怕家人疼爱宝宝甚过疼爱自己，担忧自己无法恢复往日的青春美貌；或者因为宝宝太调皮而感觉筋疲力竭。这些焦虑都会影响到新妈妈的心理健康，甚至对宝宝和家人也会造成影响。

控制负面情绪，远离产后抑郁症，是产后新妈妈必要的心理课题。要知道，这不是妈妈一个人的事，需要家人的精心呵护和照料才能一同解决。其实，看着可爱的宝宝健康成长，还有什么不满足的呢？放开心情，去迎接生活里的美满和幸福吧！

## 抑郁可是产后新妈妈的大敌

- 你是否感觉心情低落、郁闷、无精打采，对一切事物都失去了兴趣？
- 你是否觉得对生活和未来没有信心和希望，悲观忧愁，即使是看到宝宝依然愁眉苦脸？
- 你是否感觉烦躁不安、疲惫，时常发呆，出现失眠和早起的情况？
- 你是否无法集中精神思考，甚至连书也看不下去？
- 你是否不愿意做该做的事，并为此感到愧疚和无助？
- 你是否感到睡眠不好，臂膀和胸部沉重并发麻？
- 你是否食欲不振，迅速地消瘦？

以上问题，如果你的答案中有两个结果“是”的话，就该有警觉心，果断地采取措施。

发现抑郁症后不要担忧和焦躁，只要方法得当，注意心理调节，80%的抑郁症患者都能恢复健康。

治疗抑郁症的方法很多，除了药物治疗，还要重视自我调节。首先，开始规划身材的锻炼，运动会提高人体内调节快乐因素的脑内啡，能有效抑制抑郁症！其次，在工作和生活中给自己设定小目标，每当达成目标的时候，就好好奖励自己，送给自己小礼物也是不错的选择。如果感到孤独或不被理解，可以找亲人或是朋友谈心、吃顿大餐、看看电影，改变自己不愉快的心情。

如果以上方法都无法调适郁闷的心情，可以找专业人士进行心理咨询，他们可以提供药物的帮助，帮助你走出抑郁症的困扰。

## 情绪的变化是抑郁症的前兆

情绪的变化往往离不开生理原因。当然，外部环境的改变，也是产后新妈妈发生抑郁症的主要原因之一。

那么，究竟是哪些原因导致抑郁症的发生呢？如何才能改善呢？

1. 激素变化的影响。妊娠后期，孕妈妈体内的雌激素、黄体酮、皮质激素、甲状激素等激素分泌会有不同程度的升高，为孕妈妈带来快乐的感觉。但是分娩后，这些激素会迅速下降，内分泌变化差异很大，产生抑郁症状。

2. 健康的变化。经历过分娩后，女性会变得非常敏感。如果在分娩过程中遇到不顺利情况，更会影响身体和心理状态。尤其是从妊娠到分娩的过程中出现并发症，更容易给女性带来极大的心理压力。

3. 家人的态度。如果家人不够体谅产后新妈妈，或者有重男轻女的观念，更易引发产后新妈妈的抑郁症。

4. 睡眠不足。睡眠不足对身体和心理健康有双重影响，繁重的家事和社会的压力会带给产后新妈妈巨大的心理负担，所以一定要保证良好的睡眠质量。

还有其他的一些原因，比如经济因素。养育宝宝需要不小的开销，女性的心思比较细腻，常会担忧家庭的经济问题，从而导致产后抑郁症。还有的女性产前就已经焦虑不安，产后更容易出现抑郁症。

所以，了解这些引发产后新妈妈忧郁的原因，就能正确应对。如果处理得当，新妈妈不仅能更快速地恢复自信和美丽，也能以更好的状态照顾宝宝。

## 尽量不吵架

## 如何正确应对产后抑郁症

产后抑郁症一般分为三个类型：第三日抑郁、内因性抑郁和神经性抑郁。

1．第三日抑郁：通常发作于分娩后的三天内，病情一般较轻，主要表现为：沮丧、焦虑、失眠、食欲下降、易怒、注意力不集中等症，但是持续一段时间后，会自动缓解。

2．内因性抑郁：一般发病于分娩后的2周内，表现为激动、低落、焦虑、无助、绝望、罪恶感，过分担心宝宝的养育问题，甚至担心不能正常养育宝宝而伤害宝宝和自己。

3．神经性抑郁：产妇以往有精神病史的情况，分娩后，病情加重，身体不适，情绪变化较大，睡眠不安。

此三类产后抑郁症一般都在分娩后几周内发生，持续时间一般较短，但是危害性较大，产后新妈妈可能会因此做出伤害自己和家人的举动。所以家人和产妇自己都要正确地认识产后抑郁症，并正确地应对。

其实，产后新妈妈之所以容易有抑郁症，主要是因为她们具有超强的责任心和能力，想要更好地照顾宝宝。有些女性会隐藏自己忧郁的事实来支撑自己照顾宝宝，照顾家庭，一般不会被察觉。如果被察觉的话，一定是情况较为严重，一定要重视。

Tips

### 远离烟酒

酒精会让人体的中枢神经系统产生抑郁的感觉，而尼古丁则会加快心跳速度，加重人体对于紧张不安、烦躁的感觉，所以最好远离烟酒，才能保证身心健康。

# 5 自信让新妈妈更美丽

也许照镜子的时候，你会感觉皮肤松弛，体态肥胖，感觉那些小斑点在脸上非常讨厌。以前的大美女如今变成黄脸婆、水桶腰，这是多么令人难过的事情。但是，请不要气馁，快打起精神来。俗话说，没有丑女人，只有懒女人，这句话是非常有道理的，你很快就能发现其中的奥秘！

自信是一种状态，有自信的女人通常充满魅力，即使现在的身材和容貌都不尽人意，但是那种自信的气质和魅力是无法抵挡的。想要拥有自信该怎么做呢？首先是心态，然后是自我提升，再从饮食和运动下手，慢慢恢复往日的美丽。

## 当了妈妈，不意味身心变老

分娩后，孕妈妈就成了新妈妈，年龄增长，辈分也长。许多产后新妈妈会出现这样的状态：刚刚做过的事情或者说过的话，很快就忘记，经常莫名其妙感到焦虑不安；留恋过去发生的事情，并常常感叹，觉得眼前的事情没有意思；不喜欢与人交流，更喜欢一个人独处，不愿接受他人的帮助，喜欢搜集一些奇怪的小东西，等等。如果这样的感受非常强烈，可能是精神和心态变老发出的信号！如果不加以重视，很可能发展成病理性神经疾病，如精神疾病、抑郁症、精神分裂等。在医学检查中，还会发现脑萎缩、脑波较慢等问题，心理测试中还会发现智力降低和人格缺陷等疾病。

所以，产后新妈妈要重视心态的变化。时常保持乐观的情绪，忘记自己身体的不适，忘记许多不愉快的事情。生活要有规律，早睡早起，一日三餐定时定量，还要多参与各种丰富的娱乐活动，避免胡思乱想。如果是上班族妈妈，一定要认真对待工作，圆满地完成工作会激发成就感，防止心态变老。和睦的家庭环境很重要，让家人和你一起建立轻松愉快的家庭生活，这样就能给宝宝更好的照料。

正确对待人生每个阶段的变化，宝贝丰富了你的生命，给你带来的喜悦远远大于痛苦、焦虑。轻松地对待每一件事，那么事情一定会朝更好的方向发展。

## 自信心源于平时的培养

想要快速恢复完美身形、拥有白皙的皮肤，最重要的是先让自己活力充沛。如果心情都不好，哪里还有动力呢？所以新妈妈想要尽快恢复身体，需要先培养自信心。相信自己是最具有魅力的女人！

要知道，缺乏自信心会造成暴饮暴食、自尊心受损等。由此，身体的恢复速度就会跟着降低，还会对宝宝的心理造成负面的影响。因此在日常生活中，产后新妈妈就要进行自我调适，思考问题时避免钻牛角尖，尽可能地让负面想法从脑海里消失。看待问题的时候尽量豁达，保持轻松愉快的心情。这样能避免因心态不好而暴饮暴食。

想让自己充满自信，就要懂得欣赏自己。大部分的人会对自己变形的身材产生厌弃心理，厌恶自己的缺点。倘若某件事情没有做好，还会产生罪恶感。这样的心态是无法让自己充满自信的。懂得欣赏自己，即使不完美的身形也能自我欣赏，清楚自己的优势在哪里，才能建立良好的自信心。

不要让其他事物控制你的情绪，或者某件不好的事情影响你的心情。请不要让它们控制你，自己的快乐要掌握在自己手中！

## 不要和别人比较

Alisa：

“Cherry，你看看你，身材恢复得多完美啊！穿得又那么时尚，真让人羡慕。我呢？脸上的斑斑点点还没退去，腰上的赘肉一层叠一层，真郁闷。”

Cherry：

“Alisa，你要给自己敲警钟哦，要小心产后抑郁症。”

Alisa：

“我说的都是事实，你看我这身材，能穿什么漂亮时装吗？”

Cherry：

“和别人比较，要保持平和的心态，相信自己是最美丽的妈妈，坚持下去，很快就能恢复苗条身材了！”

## 怎样调节出快乐的心绪

许多新爸爸会很懊恼，前一秒脸上还挂着笑颜的新妈妈，怎么下一秒却突然泪眼汪汪？情绪也太不稳定了。新妈妈的情绪经常这样多变的话，夫妻间一定会发生很多不愉快的事情，甚至会影响夫妻感情。那么，是什么原因导致她们的情绪多变呢？

首先，是自卑心理作祟。自卑是一种自觉羞愧，低人一等，继而产生内疚、忧伤、畏缩、心灰意冷的复杂情绪。这种情绪可能长期存在于某个人的心理状态中。

很多女性会因为生育健康的宝宝而感到自豪，也有的女性会产生自卑、怯懦等心理，太在意他人的评价，需要他人的赞扬和肯定。如果评价不高或者得不到赞扬，则会加重自卑心理。要知道，这些不良情绪不仅让身材迟迟无法恢复，更严重地会让产后新妈妈放弃自己的优势，不敢与人竞争，失去出类拔萃的机会，慢慢发展为心理疾病。

导致产后新妈妈出现自卑心理的原因大致包括：

- 生产过后身材走样，失去暂时的美丽。
- 嫌恶身上出现的麻烦，比如恶露。
- 对自身条件的不满意，比如职业、体力等。

当感到自卑时，请保持心态平和，用深呼吸的办法，控制自己的情绪，自己决定需求，享受权利。做好人生规划，是增加自信的主要动力。当你清楚地知道自己需要什么，你要为此付出什么，这种清醒的状态一定能消除自卑，增加自信，并增添更多的快乐和美丽。

### Tips

#### 自信需要老公的帮助

老公宜多多赞美生完宝宝的她，主动承担各种家事。还可以经常为妻子准备一桌她爱吃的“大餐”，或者为她准备一些小礼物，给她一些惊喜，这些都能帮助她重塑自信，重新焕发风情和魅力。

# 6 不可忽视产后新妈妈的情绪变化

产后抑郁是情绪变化的升级版，而细微的情绪变化也是绝对不可以忽视的。有些女性在产前就已经开始出现情绪不稳，分娩后会加重情绪变化，引发产后抑郁症。

产后第一年是女性情绪波动最强烈的时期，是产后新妈妈发生精神疾病隐患的时期，这种状况会一直持续到第二年，所以产后一年之内都要重视产后新妈妈的情绪变化。如果没有及时控制，会引发躁狂症、抑郁症等精神疾病。要注意，情绪不良不仅会引发精神疾病，还会对女性的生理健康产生不良影响，甚至破坏家庭的幸福。所以，我们首先要了解产后新妈妈会有哪些不良情绪，会带来怎样的危害，以及如何防止不良情绪的产生，帮助产后新妈妈保持好心情。

## 这些不良情绪和心理你有过吗

有一些不良的情绪就像警钟一样，一旦出现，就要注意并控制。那么，产后新妈妈容易产生哪些不良的情绪呢？又该怎么控制呢？

### 1．暴躁

一般人通常在某件事受到挫折的时候生气和发怒。发怒时，容易心跳加速、血管收缩、血压升高、呼吸急促，血液中葡萄糖含量增高。如果情绪失控，很可能做出不理智的行为。若是在家中暴躁发怒，也会对家人的心灵造成伤害。所以要控制自己的情绪，保持平和、愉快和乐观。但也要注意，如果实在难过，可以适当地发泄情绪，只是不要时常动怒就好。

### 2．焦虑

焦虑通常会造成心悸、呼吸急促、气闷、口干、冷汗、便秘或腹泻、尿频、头昏、头疼、发抖、肌肉紧绷、常年脖颈背痛、坐立不安、无法安静、疲倦、受惊、无力、注意力不集中、失眠、多梦、易醒、易怒，等等。由此可见，焦虑比暴躁更会让健康受到影响。经常处于焦虑状态会使血管痉挛、全身组织供血不足及内分泌紊乱。

该如何缓解焦虑呢？首先让自己从焦虑中走出来，积极地去培养兴趣爱好，如可以从事钓鱼、下棋等使情绪平和的娱乐活动，减轻思想负担。也可以在专业医生的指导下，服用一些镇静剂和维生素。

### 3．狭隘

狭隘是宽容大度的反面。一旦受到这种情绪的影响，鸡毛蒜皮的陈年往事都会成为引发情绪变化的根源。轻度的狭隘只是一种性格缺陷，而重度的狭隘则是性格障碍。狭隘会造成欲望低落、多疑、消沉、遇事不冷静、易激动，甚至产生轻生的念头。

产后新妈妈如果出现狭隘的情绪，家人要先理解，切勿争执，多做正面引导。产后新妈妈自己也要试着摆脱这种情绪，思路要开阔广博，多和他人交流，多到户外活动，呼吸新鲜空气。这些活动都能有效地缓解内心的不良情绪。

**Tips**

**维生素的妙用**

一般情绪不稳、暴躁焦虑的人，体内都缺乏维生素B族和维生素D。所以，产后新妈妈宜补充不同成分的维生素$B_2$与维生素D，能有效缓解情绪不稳的症状，改善身体不适的情况。

## 克服产后恐惧心理有妙招

这里所说的恐惧是指精神恐惧。许多产后新妈妈因为受到各方面的压力，而产生各种困扰，结果忧心忡忡，甚至达到精神恐惧的状态。究竟什么是精神恐惧呢？精神恐惧的外在表现是总觉得心神不宁，会莫名地恐慌，担心有什么意外事情发生；经常觉得气喘、呼吸不顺畅。事实上，肺部功能是正常的，但手脚、脸部及唇边常有麻木感。

根据研究，一般20～30岁的年轻女性容易罹患精神恐惧。当然，这不是什么特别严重的疾病，而是暂时性的心理紧张。用以下的正确方法进行疏导，就能缓解这种症状。例如，在心理医生的指导下做让自己开心的事，找人聊天、讲电话、看电影，设法避开烦恼，并控制自己对一些麻烦的事情做出不好的预测；经常去环境优雅、空气清新的地方走动，抒发自己的情怀；疲劳的时候，用自己喜欢的方式放松，摆脱压力，让自己轻松愉快。

## 提高认知能力能缓解恐惧心理

Alisa：“老公，我看了动物和大自然的节目，原来企鹅是这样和宝宝相处的啊！我觉得很有趣，我想我一定能当个好妈妈！”

俊安：“是啊，老婆你不要一直担忧自己照顾不了宝宝，你一定比企鹅妈妈更厉害！”

## 果断决定，摆脱精神怀疑

这里说的精神怀疑其实就是钻牛角尖。一个个问题不断地重复出现，不断地怀疑它们的一切，这会让人心烦意乱，口不择言，严重影响工作和生活。怀疑是腐蚀剂，阻挠人们的行动力，腐蚀已经付出的心血和努力。

女性不仅承担生儿育女的责任，很多现代女性还渴望在职场中实现自我价值。有的女性因为受到负面情绪的影响，开始对自我的能力产生怀疑，更因为要照顾宝宝，分散精力和注意力，影响到自己原本的职业规划。这些都会造成钻牛角尖的怀疑情绪。这种危害是极大的，会让产后新妈妈在怀疑中消磨殆尽，或在人生的道路上停滞不前。

要克服这种危害，就要确立一种思想原则，充分相信自己的信念。首先，完全信任自己的能力，觉得为此付出的努力是值得的。其次，必须消除自己的质疑，做一件能带来成就感的事情，不管它值不值得。做事情之前先深思熟虑，避免消极的思想影响计划、破坏进度。最后，要快速果断地做出决定，别让犹豫影响了你的决断。

果断的决定在任何时候及事情上都领先怀疑和犹豫。果断地处理每一件事情，不要犹豫不决，懊恼后悔。

### Tips

**不要被坏情绪迷惑**

不要被任何事物迷惑，而找不到生活的方向。尤其是产后新妈妈，可爱的宝宝带给你的不是枷锁，而是一种全新的人生。当打开心扉之后你会发现，这种全新的人生非常美好。

# 7 塑造阳光乐观的生活主题

当发生疾病的时候，许多人都认为是生理机能出现了某种问题。其实，心理上的疾病引发的不仅是精神状态的问题，还有生理上的双重疾病，因此只有快乐才是一剂万能的灵药。

当事情遇到阻碍的时候，把它当做一道题目，排列出它的目的、目标、解决办法，然后处理，这样才能发挥出最大的创造力。当然，你也会从中得到快乐。多鼓励自己，今天又是快乐的一天，那么今天就真的会得到快乐。

## 给心灵来一次美容

缓解产后的心灵压力，让压力不损害身体健康，可以给心灵做个排毒美容SPA。

### 第一步：给态度抹点乐观

豁达乐观是一种能给我们增添勇气和信心的力量。它能减少对心灵的劣性刺激，实现积极、自信和快乐。给态度抹点乐观，无论遇到什么情况都能微笑迎接，让内心充满力量。

### 第二步：给感情涂上宽容

宽容是沟通感情的重要因素，它可以消除人们之间的隔阂和心结。各种矛盾和烦恼遇到宽容，都能迎刃而解。大度地宽容别人，就能让自己在海阔天空中自由翱翔。

### 第三步：用哭泣做一次排毒

哭泣能宣泄心灵的苦闷、忧伤，能缓解紧张的情绪，消除心理负担。眼泪还能够保护眼睛免受烟尘的侵害，消除皮肤皱纹，保持青春活力。所以，帮心灵排毒的最好方法就是“哭泣”。

### 第四步：用倾诉洗涤心灵

倾诉是一种自我心理调节的方式。当各种烦恼郁积到一定程度的时候，找个信任的人倾诉，能够化解心中的郁闷，抚慰受伤的心灵。倾诉后，他人的劝导和抚慰能洗涤心灵的暗尘，重新寻获人生的平衡与快乐。

### 第五步：用快乐做一张心灵面膜

快乐是一种健康的机能。它能调整各种有益激素的正常分泌，还能调节脑细胞的兴奋度和血液循环功能。快乐，不仅能让沉重的心情变得轻松愉悦，也能缩短和他人的距离，忘掉忧愁，增添幸福感。

## 生完宝宝后，不妨自己找乐子

产后新妈妈除了照顾宝宝和家人，还要实践自身的价值，经营自己的人生。在这种情况下，更应该保持积极向上的心态，才能创建最美好的生活和属于自己的事业。

要追求快乐和美好，需要用自己的双手和精力去创造。该怎么让自己和家人都开心快乐，理应是新妈妈最关注的事情。

首先，提前做好计划。晚上睡觉前，用漂亮的记事本帮自己规划第二天的行程安排，根据事情的轻重缓急做分类，列举出处理的方式及妥善安排时间，这样会让你的生活井然有序，每一件事情都会完成得很漂亮。但是要记住，不要给自己安排太多事情，否则会增加压力，预留一些放松休息的时间。

其次，要为生活添加小创意。发挥自己的想象力，自己DIY一些小物品，比如挂历、编织花篮、围巾、手绘布鞋和T恤。如果愿意的话，还可以试着给宝宝做一件简单的小衣服，或者为家人准备一份别出心裁的餐点。

然后，要记得放松自己的身体。每天的劳碌会让身体每一寸肌肉都紧绷起来，久而久之就会酸、胀、痛。所以不时地放松自己的身体，做个伸展操，或者产后瘦身操，也可淋浴或者用精油泡澡，再做个按摩，你会觉得身体轻盈有活力，心情开朗又愉快。

最后，安静地聆听心灵的声音。留出几分钟的时间，让舒缓或者轻快的音乐滑过你的心灵，让它柔和地跳动。或者做一个冥想，随着音乐放飞思绪，让所有的烦忧消失无踪。

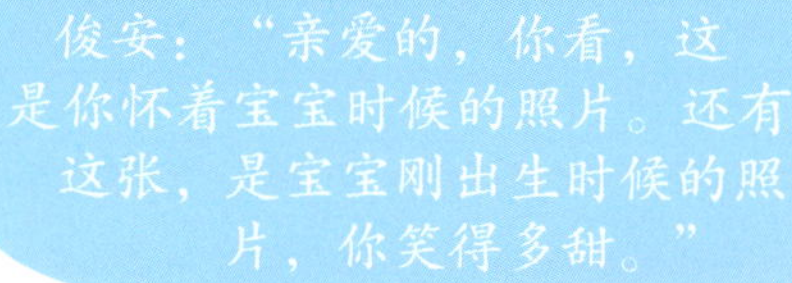

## 用相机留住快乐

## 如何打造与家人共同分享好心情

产后新妈妈的快乐，其实更多来自于宝宝和家人。和宝宝建立亲密的联系，在日常生活中找到让自己保持快乐的小招数，宝宝、家人和你都能拥有美丽的好心情。

### 1．搜集育儿信息

经常从电视、报刊、杂志上搜集育儿知识，并把它们分类，一一实践。你会发现，学习和照顾宝宝的过程能让你感觉非常有趣。

### 2．虚心求教

向专家寻求建议，或者咨询非常有经验的育儿妈妈，有了她们的帮助，能让你在照顾宝宝的时候不会手忙脚乱，如此一来当然就有好心情。

### 3．和老公一起规划宝宝的未来

在网络上帮宝宝添置衣物，把宝宝打扮得漂亮可爱，这能让你的心中充满憧憬。在照顾宝宝的过程中，依照你们的能力为宝宝设计一个灵活多变的未来，这是一件多么美好的事情啊！

### 4．创建温馨的家庭环境

快乐的心情能让整个家庭的氛围都轻松快乐起来，把压力挡在门外，让家人也都快乐轻松。他们能和你一起好好地照顾宝宝，烦心的事就能够迅速解决。

### 5．好好休息

尽量和宝宝保持相同的作息时间，能够让你和宝宝都精力充沛，你也能活力充沛地应付这个小捣蛋！

### 6．好好安慰自己

宝宝生病了！厨房的锅子被烧坏了！不小心弄坏了电视机！这时候，不要手忙脚乱，嚎啕大哭，要想这些不过是意外而已。好好安慰自己，做几次深呼吸后，再冷静地处理这些事情。你会发现，这些不过都是鸡毛蒜皮的小事，它们怎么能影响你的好心情呢？

以上建议不仅提供参照，也可作为借鉴。如果自己能有更好的方法，不如和其他人一起分享你的好经验和好心情吧。

Tips

要主动，不要被动

要记住，不要等负面心理出现以后，才开始改变心情。要化被动为主动，才能避免出现各种心理疾病。

## 快乐也可以吃出来

有一些食物含有抗抑郁的物质，多吃就能产生快乐的情绪。那么，符合健康标准，又适合产后新妈妈的快乐食物有哪些呢？

| 名称 | 元素组成 | 功能 |
| --- | --- | --- |
| 全麦面包 | 复合型碳水化合物、硒 | 提高情绪，抗忧郁 |
| 深水鱼类 | OMEGA-3脂肪酸 | 能阻断神经传导路径，增加血清素的分泌量，提高人的情绪 |
| 南瓜 | 维生素$B_6$、铁 | 能帮助身体储存的血糖转变成葡萄糖，提高大脑兴奋点 |
| 香蕉 | 生物碱、色氨酸、维生素$B_6$ | 振奋精神，制造血清素，减少忧郁发生。 |
| 樱桃 | 花青素 | 降低发炎，改善头疼、肌肉酸痛的症状 |
| 菠菜 | 铁、叶酸 | 能够帮助血清素增加 |

Tips

增加快乐心情的“香菇豆腐”

食材：水发香菇75克，豆腐300克，糖10克，酱油20毫升，胡椒粉0.5克，米酒8毫升。

做法：豆腐切成长条块状，香菇洗净去蒂，炒锅加油烧热，逐步下豆腐，煎煮至金黄色，加入些许米酒后下香菇，最后加水并转大火收汁勾芡，翻拌后起锅。

# 自我减压，抵御一切不良情绪

成为母亲是人生最大的转变。这意味着肩膀上负担了更重的责任，如何精心照料、养育和教导宝宝，这些都会造成一定的压力。而压力似乎是绵延不绝的，让你身材走样、皮肤干燥且出现皱纹。面对这些压力，聪明的你应该怎么做呢？

有时候，压力也能转化为一种动力，能够支持你减肥、护肤，帮助你营造良好的生活环境让家人快乐。但压力过大就要学会减压，减压的方式多种多样，可以为产后新妈妈提供多种选择。哪种减压方式最适合你呢？选择你感到最有趣味性的减压方式吧！

## 如何避免6种常见负面情绪

生活中的负面情绪对产后新妈妈会产生很大的影响。一般来说，有6种负面情绪是需要警惕的，不加以疏导可能引发心理疾病。

### 1．激动

由于分娩后体内激素的变化，情绪可能不稳定。再加上身份的转换，产后新妈妈可能会出现激动、兴奋的情绪。情绪的波动很可能影响到初生的宝宝，产生负面作用，甚至导致拒绝哺乳等情况。

### 2．埋怨

对不再美观的身材和容貌，产后新妈妈难免会产生埋怨之心。久而久之，会对他人和自己的心理状态产生负面的影响，造成家庭不睦、工作不顺畅等情况。

### 3．担忧

大部分产后新妈妈都会过分担忧，担心不能让宝宝健康，不能让家人快乐，把一切罪过都加诸于自身，其结果就是导致忧郁。

### 4. 淡漠

有的女性价值观会不一样，她们过度追求个人的幸福，缺乏对宝宝的疼爱之心；或者因为不能承受哺乳和抚养的压力，而导致失去做母亲的热情。这样会造成人生的不幸福，对宝宝的影响尤其不好。

### 5. 生气

有些产后新妈妈遇到压力和阻碍，会选择用发怒的方式来减压，迁怒家人，甚至迁怒宝宝，做出伤害自己和他人的行为。

### 6. 自卑

过度自卑是抑郁的前兆。抑制自卑心理，减轻思想负担，是帮助产后新妈妈恢复健康心理的制胜法宝。

**Tips**

**哺乳需要专注**

有的产后新妈妈会一边哺乳一边做其他的事情，比如看电视、看书、闲聊等，这样会阻碍母亲和宝宝之间的情感交流。宝宝虽然不会说话，但是他们渴望触摸，渴望声音。专注是抚慰宝宝心灵最好的方式。

## 新妈妈可能会遇到哪些压力

产后新妈妈应该充分了解自己会遇到哪些压力，这样才能了解现实生活中自己所面临的困难，并一步一步完美地解决它们。

### 1. “完美妈妈”的压力

许多产后新妈妈在生产前，认为自己会成为一个完美的妈妈，能够好好地照顾宝宝，让宝宝吃得好、穿得暖，不会发生疾病。然而，事实往往令人失望。宝宝依然会发生疾病，大部分产后新妈妈对此都会沮丧不已。其实，只要保持平和的心态，生活平稳有规律，就是一个好母亲。

### 2. “生理时钟”改变所带来的压力

成为母亲以后，为了照顾宝宝，产后新妈妈的生理时钟发生了巨大的变化，和宝宝同吃同睡，有时候甚至日夜颠倒，这些都会造成一定的压力，让身体和心理随之发生改变。其实，只要睡眠充足，饮食方面定时定量，并作出适当的调整，就能避免压力的堆积。

### 3. 伴侣关系调整的压力

以往甜蜜的二人世界多了一个小生命。你是妈妈，他是爸爸，角色就此转变，有的人并不能适应这种关系的转变。这种和伴侣关系转变的压力，会带来不良情绪的影响。其实，只要好好地调整关系，就能很快适应，并会感受到其中的乐趣。

### 4. 角色扮演的压力

产后新妈妈升级为母亲后，要开始扮演许多角色，保姆、护士、厨师、管家、清洁工等，还要做女儿、妻子，对女性来说压力非常大。然而，大部分女性往往想扮演好每个角色，因此就会受到多重压力的影响。

## 找一个专业的保姆

## 心理减压的一些小妙招

减轻压力有不少方法，这里推荐几个不错的小招数。

### 1. 和朋友相约聚会

妊娠和分娩让你远离朋友多久了？在合适的时间里，尽快和朋友们联络吧，和他们出去聚一聚，能让你快速地找回熟悉的生活，友情也能让你重获快乐，帮你分担压力和痛苦。

### 2. 重拾兴趣

你的兴趣是什么呢？绘画？唱歌？看书？运动？还是看电影呢？重拾这些爱好能开阔你的视野，让你焕发魅力和活力。

### 3. 浪漫一下

和老公一起做一些浪漫的事情，如看电影、吃大餐。放开胸怀，尽情享乐，度过轻松愉快的夜晚。这样的放松一定能帮你减轻压力哦！

**Tips**

**用爱来抵御一切压力**

有时候，爱和给予能帮助你消除压力、委屈、懊恼和不愉快。给予宝宝你最温柔的爱，你会感受到生命的美妙。

# 扮演好自己的新角色吧

坦然面对生活的转变，合理规划未来的生活。这样做，即使是人生的角色已经转变，也能够应对得很好。母亲这个角色需要扮演很长的时间，那么最初开始扮演的时候，你合格吗？

请记住，扮演新的角色并不全是负担，它也是一件非常美丽的事情。这些角色丰富了你的生命。试想一下，当你能够成功地为宝宝和家人准备一顿美食，家人们都亲切地称呼你为大厨师，这样的感觉是不是很好？需要注意的是，在角色扮演的过程中，不要忽视了自我的价值，而是要让它更能表现出你的价值，你会感觉到自己是被家人所需要的母亲、妻子和女儿。

## 宜处理好"家庭三角关系"

家庭的三角关系非常奇妙。当浪漫的二人世界结束，宝宝成为家庭的重心，重新调整自己的角色，对每一个家庭成员来说都是很重要的。

首先，要合理地规划每个人的家庭职责，共同为宝宝担负起养育的责任。宝宝的衣食住行，宝宝的早期教育，每一件事都需要细心合理的规划。规划后分工合作，共同完成。当宝宝不缺吃穿，健康成长的时候，最开心的当然是爸爸妈妈了。

其次，要重新为家庭做行程安排。曾经规划的旅游计划、购物计划和朋友的拜访安排都要取消，重新设计。原有的习惯被改变可能有些不适应，但是细腻有条理的计划、有条理的安排，能让你们感受到更多的快乐而不是麻烦哦！

还有，要让夫妻的感情更融洽。爸爸不要为了宝宝冷落妈妈，妈妈也不能因为宝宝而冷淡爸爸，夫妻关系和亲子关系一样重要。三个人一起作伴，一起和宝宝玩耍，温馨的家庭环境才能让家人更加开心。

最后，和老公一起照顾宝宝。一般来说，爸爸对于照顾宝宝这件事情有些笨拙。当然，好爸爸都是训练出来的，妈妈要多把照顾宝宝的事情分给爸爸，让爸爸为宝宝换尿布、洗澡。你会发现，他们能把宝宝照顾得很好哦！

Tips

**丈夫要多赞美妻子**

产后新妈妈尤其需要丈夫的爱和鼓励，她为丈夫做出了很大的牺牲，容貌和身材都走样。丈夫应该为此感动，多关心爱护妻子，这样就能让妻子感受到快乐和幸福。

## 翻开人生的新篇章

宝宝的降临，也为新妈妈翻开了人生的新篇章。是成为一个辣妈？成为一个严格的母亲？还是成为一个温柔的母亲？这些都是你自己的选择。但不管成为什么样的母亲，都不可忽视亲子的关系。

1．心存童趣：和宝宝一同成长。感受宝宝的喜怒哀乐，参与宝宝的童年，你会发现你的心态也更加年轻，所有外界带来的压力，都能让你轻松应对。

2．爱的接触：让宝宝更加喜欢触摸的感觉。人与人的交流从触摸开始，消除隔阂，传达爱的本意。经常触摸宝宝，表达母亲的爱，你会惊讶地发现，宝宝也会给你很多很多的爱，宝宝和你心里都存满了幸福。

3. **甜蜜的互动**：让爸爸妈妈都能参与宝宝的快乐。和宝宝一起穿亲子装，和宝宝一起吃饭，和宝宝一起做运动，这一切都能让宝宝感受到家庭的温暖与快乐。

## 和家人保持良好互动

# 护肤疗法：你也可以是美肤的气质妈咪

1. 美肤宜从了解皮肤做起
2. 护肤也有原则
3. 不良的方法和习惯会破坏美丽
4. 斑斑点点不见啦
5. 脸部护理只是一部分，并非全部
6. 花容月貌是可以吃出来的
7. “面子工程”一定要做到位
8. 如何护理才能让眼睛更明亮

光滑细致的皮肤、红润俏丽的脸蛋，是所有女性孜孜不倦努力的理想目标。了解科学的保养方法，在产后这个特殊的时期，对自己的身体进行一个彻底的改造翻新是很有必要的。产后新妈妈应该了解，使用各种化学制品的保养方法并不是最佳的。在日常生活中注意细节问题，采取天然的保养品细心保养皮肤，效果会更加明显。

# 美肤，先从了解皮肤做起

皮肤对身体有各种保护作用，它们暴露在空气中，承受着污浊的空气、辐射、各种化学物质，以及外来的压力等有害因素的侵袭，同时还保护着我们的身体。对于女性来说，亮丽的皮肤更是美丽的保证。

要让皮肤呈现自然的白嫩细腻，首先要了解皮肤的特性以及各种可能发生的问题。每个人的肤质不一样，可能遇到的问题也不一样，所以每个人需要对自己的皮肤问题进行特别的护理和保养。其次，避免错误认知的保养，不恰当的保养方法不但达不到保养作用，还可能会对皮肤造成较大的伤害。最后，千万要记住，不要只保养脸部皮肤，其他部位的皮肤保养也很重要哦！

## 女性的皮肤分为几类

皮肤覆盖全身，保护人体的肌肉、骨骼及内脏。其中，角质层能够阻隔细菌，而皮脂膜能够抑制细菌繁殖。另外，皮肤内的黑色素细胞能够吸收光线和紫外线，保护身体不被其侵入。

想要制定保养皮肤的方案，首先要了解自己的肤质属于哪一类，还要了解皮肤的特性，不同的皮肤要制定不同的保养计划。

| 肤质种类 | 特性 | 阶段人群 |
| --- | --- | --- |
| 油性皮肤 | 汗腺发达，油脂分泌多，毛细孔容易被灰尘和细菌感染，易出现粉刺、面疱和肿瘤。 | 产后新妈妈由于妊娠期间的激素分泌，皮肤容易呈酸性，显现油性皮肤的特征，T字部位尤其明显。 |
| 中性皮肤 | 柔软细滑、皮丘平整，毛细孔细小，汗液和皮脂分泌较正常。无瑕疵，健康漂亮。 | 宝宝一般都是中性皮肤，冷的时候皮肤较干，热的时候皮肤较油。 |
| 干性皮肤 | 毛细孔细小没有面疱，紧绷脆弱，容易脱皮和皱纹，对光敏感，容易晒伤。 | 妊娠初期的女性容易呈现干性皮肤的特质，皮肤缺乏光泽度。 |
| 混合性肌肤 | 常见型：T字部位呈油性，而面颊皮肤呈中性。 | 产后新妈妈由于内分泌的变化较大，会呈现这三种不同的肤质，要根据自己的情况做出判断。 |
| | 一般型：T字部位呈中性，而面颊皮肤呈干性。 | |
| | 少见型：T字部位呈油性，而面颊皮肤呈干性。 | |

**Tips**

**你是敏感性皮肤吗**

敏感性肌肤遇冷遇热都会潮红，有时会有红血丝、痘痘和斑点。这主要是因为角质层较薄，肌肤抵御能力较弱。一般的干性肌肤容易出现敏感性肌肤的特质，所以温度和环境变化较大时，要好好养护干性肌肤。

## 你的皮肤得多少分

在了解皮肤的分类以后，我们可以通过以下的小测试，来了解自己的皮肤是属于哪一类型的：

1．清洁脸部肌肤后半小时，不使用任何护肤产品，你有何种感觉？

A：有粗糙，脱皮的现象。

B：皮肤紧绷难受。

C：没有感觉，柔和润泽。

D：脸部油腻至出现反光的现象。

2．你的毛细孔状态是怎样的？

A：皮肤细腻，看不见毛细孔。

B：有略微的毛细孔，但不明显。

C：鼻部有黑头粉刺。

D：毛细孔粗大。

3．午饭时，你的皮肤状态是怎样的？

A：紧绷、干燥、脱皮。

B：不干燥，不油腻。

C：T字部位出油。

D：必须要洗脸才会感觉好一些。

4．是否曾有过青春痘？

A：几乎没有长过青春痘。

B：生理期或者生病时才有。

C：通常长在T字部位。

D：任何部位都曾长过，容易留下疤痕。

5．化妆2个小时后，你有何种感觉？

A：皮肤出现皮屑。

B：妆容完美无缺。

C：出现脱妆、花妆。

D：需要补妆才能维持妆容。

A：1分；B：2分；C：3分；D：4分。
得分10～15分：中性肌肤。
得分15～20分：油性或混合性肌肤。

# 选择专业的美容诊所

Alisa：
“Cherry，我在报纸上看到这个美容诊所的广告，最近办活动，六折优惠，我想去试一试！”

Cherry：
“不行，这个美容诊所没有听过，也不知道是不是正规专业的美容院，不能只贪便宜，而不注重质量哦！”

Alisa：
“是吗？那怎么办？”

Cherry：
“我认识一位专业医生，你去找她，她一定会给你最好的建议，而且有八折的优惠哦！”

## 不同类型皮肤的护理小妙招

不同肤质的护理方法也不一样。根据上面的小测试，你已经知道自己的皮肤属于哪种类型。那么，如何实施保养护理呢？

### 1．干性皮肤

干性皮肤干燥紧绷，所以要多使用滋润型护肤产品。早晚洗脸洁面后，先涂抹清透的乳液和面霜，再使用营养化妆水，最后再涂抹足够的营养霜。要注意，干性皮肤最好使用乳化后的化妆水，其成分相当于人类皮肤最表层的皮脂膜。

调整日常饮食也能改善肤质，干性肤质的产后新妈妈应多喝牛奶、多吃猪肝、鱼类、香菇和南瓜等食品。

### 2．油性皮肤

晚上洁面时，涂抹洁面霜以后，要用按摩的方式清除毛细孔中的污垢，然后再将收敛化妆水轻轻扑打在脸上，以收缩毛细孔，最后再涂上营养霜来润泽肌肤。清晨洁面后，先用收敛化妆水收缩毛细孔，再使用清爽型的乳液护肤。

油性皮肤的新妈妈于产后应避免吃油腻辛辣的食物，水果和蔬菜是最佳选择。

### 3．中性皮肤

早上洁面后，用收敛化妆水收缩毛细孔，再涂抹营养霜，最后可以使用粉底霜或者隔离霜来隔开灰尘。夜间洁面后，用润泽型乳液或者营养化妆水滋润皮肤，让皮肤保持柔软和弹性。

中性皮肤的产后新妈妈应多吃水果、蔬菜、牛奶和豆制品等富含维生素和蛋白质的食物。

产后新妈妈在清洁脸部肌肤的时候，应使用整个手掌，这样可以用体温舒张毛细孔，清除污垢，还能防止皮肤产生皱纹。

# 护肤的几项保养常识

保护皮肤不仅是为了亮丽的容颜，更为了身体和心态的健康。健康的女性才能拥有健康的肌肤。所以产后新妈妈一定要了解护肤的各项基本原则，对自己的健康负责。

护理肌肤要从心开始，年轻的心态才能造就年轻的肌肤，而年轻的肌肤才能展现出健康的美。当你掌握正确的护肤原则和方法后就会知道，除了使用各种护肤产品和化妆品，纯天然的食物、充足的水分、良好的睡眠以及合理的运动都能让产后新妈妈拥有光洁如玉的肌肤。产后新妈妈身体健康、皮肤好，宝宝也会健康快乐哦！

## 护肤忌盲目，先从了解原则开始

产后正是女性追求完美肤质的最佳时期，把握好关键性的护肤原则，就能让肌肤焕发光泽。无论你属于哪一种肤质，保养过程中都要重视护肤的三大原则：

### 1. 保持愉快的心情

心情不愉快的时候，皮肤也会失去光泽。如果用化妆品遮盖，会对宝宝的健康造成损害。积极锻炼身体，用健康和快乐来润泽肌肤，会有意想不到的收获。

### 2. 补血养颜很重要

贫血的女性会出现头昏、失眠多梦、记忆力减退、脸色苍白、肤色暗沉干燥、过早出现皱纹以及色素沉淀等。所以，养气补血是非常重要的，而当归、益母草、黑木耳、红枣、黄耆、乌骨鸡等都是补血佳品。血气充足的女性姿容艳丽，肤色光泽红润。

### 3. 重视清洁肠道

长期便秘的人皮肤容易衰老。便秘是由于人体内的废物没有排出，在体内堆积过久，产生各种有害的气体和毒素，被人体吸收。随着血液循环，损害身体的机能，刺激皮肤，使皮肤暗沉粗糙，并出现雀斑、粉刺、面疱等。

要保养肌肤就要重视清洁肠道。保证体内有充足的水分，多吃蔬果杂粮，适当运动和锻炼，均衡营养，生活规律，就能增强肠道功能，清除堆积的宿便，让肌肤焕发亮泽光彩。

**Tips**

**肌肤护理的小秘诀**

护理肌肤还有一个非常重要的小秘诀，就是保持肌肤内油和水分的平衡。产后新妈妈能掌握这个秘诀，就能拥有光洁柔软的肌肤。

## 新妈妈可能会遇到哪些皮肤问题

掌握了护肤的基本原则，也应该了解皮肤会出现的各种问题，对症下药才能完美解决皮肤的各类状况。

### 1．恼人的痘痘

产后新妈妈的嘴唇周围容易产生痘痘，这些痘痘又红又肿，还隐隐作痛，非常恼人。这些痘痘与肠胃功能紊乱、情绪压力过大和内分泌失调息息相关。

### 2．难看的妊娠纹

妊娠纹是每一个产后新妈妈必然遇到的皮肤问题。女性在妊娠时期，因子宫变大而大幅度拉扯皮肤表皮真皮，脂肪也因此受到压迫而断裂，这种情况在肌肤上留下的就是妊娠纹。妊娠纹的位置主要在肚腹处，也有在胸部、臀部、腿部出现的。妊娠纹颜色较深，十分影响美观，要消退是需要下功夫的。

### 3．皮肤出现斑点

因为产后新妈妈体内的激素分泌发生变化，开始逐渐长出一些黄褐色的斑点，这和雀斑、晒斑不同，斑点成片出现在额头、下巴和颧骨上，这可是美丽肌肤的大敌，一定要予以重视并及时消除。

## 产后新妈妈的痘痘

## 皮肤保养的必要步骤

每位女性都应该学会正确保养皮肤的方法。再年轻的肌肤也不要忽视保养。否则，随着时间的增长，就会出现许多肌肤问题。

### 1．选择适合自己肤质的护肤产品

选择合适的护肤产品很重要。试想，如果油性肌肤使用了干性肌肤的护肤产品，很可能出油更严重。针对不同肌肤，大部分护肤品牌都有产品，所以这一点大部分产后新妈妈不用担心。

### 2．保养步骤和方法一定要正确

清洗、轻拍、涂抹，每个步骤都要仔细，动作要轻柔，不要用力过大，以免损伤肌肤。还要注意，日用护肤产品和夜用护肤产品要分开使用，更能发挥护肤产品的作用。

### 3. 注意补水和保湿

不论是何种肤质，补水和保湿都是保养肌肤最重要的。肌肤缺水，干性肌肤会更加干燥，油性肌肤会更加油腻，严重缺水还会引发皮肤疾病。所以制定适合自己的肌肤保湿计划，对每个人都很重要。

**Tips**

**及时补充水分很重要**

护理肌肤还有一个非常重要的小秘诀，就是不要等到肌肤感觉干燥，或者身体感觉干渴的时候才补水。坚持规律性的补水，早晚涂抹补水保湿的护肤产品。多喝水、多运动都是好方法。

## 四季的护肤方法有何不同

| 季节 | 护肤要点 | 护肤产品和方法 | 其他 |
|---|---|---|---|
| 春季 | 清洁、滋养、调节饮食 | 选择不含皂苷成分的清洁产品，富含弹力蛋白和胶原纤维的养护产品 | 避免刺激性食物，多吃富含维生素的食物 |
| 夏季 | 防晒、补水 | 选择能够阻挡紫外线的防晒产品，均匀涂抹 | 多使用补水喷雾 |
| 秋季 | 纯天然护肤 | 选择纯天然成分不含酒精的护肤产品，避免造成过敏 | 多做面膜，不要过度拍打肌肤 |
| 冬季 | 防冻保暖、保湿 | 出门时，注意为裸露在外的肌肤保暖，选择防冻保湿的护肤产品 | 多促进血液循环，缩减沐浴次数和时间，正确使用护肤产品 |

Tips

### 正确应对皮肤病

许多患有皮肤病的产后新妈妈，比如说牛皮癣、鱼鳞病等，到冬季病情会加重。新妈妈不要太过担忧，以正确的心态来面对，遵照医嘱用药并洗浴。

# 3 不良习惯会破坏你的美丽

很多产后新妈妈会从电视节目、报刊杂志等途径搜集各式各样的护肤美容方法。要注意，不要被错误的方法所导，也不要养成不良的护肤习惯，否则，会对肌肤造成损害。

哪些习惯会对肌肤造成损害呢？哪些方法会误导你进行错误的护肤呢？又有哪些方法听起来像是保护肌肤，实则会损害肌肤呢？这些问题是产后新妈妈们迫切需要知道的。在得到合理的建议以后，还要注意，不同肤质护肤方法也不尽相同。如果有不明白的地方，一定要咨询专家或专业美容师。

## 不要忽视破坏你美丽的坏习惯

在日常生活中，一些大家习以为常的小习惯可能就是破坏美容护肤的大敌，所以如果你有这些坏习惯，一定要立刻纠正。

### 坏习惯一：用脸盆洗净脸部

很多人习惯用脸盆洗脸，但是洗脸水经过反复使用，早就浑浊，细菌并不会被清洗干净。尽量用流水洗脸，比用脸盆更加干净。

### 坏习惯二：仅靠喝水就以为能补充肌肤水分

多喝水能够帮助身体补充水分，促进人体新陈代谢，却并不能帮助肌肤吸收水分，所以只喝水并不能完全补充肌肤所需要的水分。如果能再配合使用滋润型的护肤产品，补充水分的效果会更佳。

### 坏习惯三：用婴儿油护理妈妈的肌肤

婴儿油无刺激性，也不油腻，所以许多产后新妈妈和宝宝一起使用婴儿油。其实，这也是不良习惯，宝宝的肌肤是最好的肤质，富含胶原蛋白，所以宝宝霜里营养并不丰富，婴儿油不能提供给产后新妈妈肌肤所需要的大量营养，所以想要防止产后新妈妈的肌肤衰老，就不要使用婴儿油。

### 坏习惯四：只护理脸部，不护理颈部

大部分人只注重保养脸部皮肤，而忽略颈部肌肤。其实，颈部肌肤更能透露女性的年龄。颈部肌肤常受到化妆品、灰尘、发油等的侵染，所以重视护理颈部也是非常重要的。

### 坏习惯五：频繁用毛巾擦脸

有的人洗浴后，喜欢用毛巾擦干残留在肌肤上的水，还有的人在清洁的过程中，习惯用毛巾擦掉身上的污垢。其实，毛巾上隐含各种细菌，用毛巾擦拭会加重肌肤负担，增加肌肤分泌物，引发痘痘和斑点。正确的习惯是用按压的方式擦拭，用按摩的方式清洁。

## 宜远离这些错误护肤认知

错误护肤认知好似一个个陷阱，产后新妈妈不可为了保养皮肤而一脚踩进去。

### 1．仅用清水清洁肌肤

清水能润泽肌肤，却不能完全清除油脂和灰尘，所以要使用能清除油脂和灰尘的洁面产品，不能只用清水清洁肌肤。

### 2．使用湿漉漉的毛巾

细菌容易在潮湿的环境中大量繁殖，如果用过的毛巾没有拧干，细菌就容易滋生，再用它清洁，就会将细菌涂抹在脸上。所以用过毛巾后，一定要拧干，最好挂在通风或能照射到阳光的地方，要让毛巾保持洁净干燥，擦脸时尽量用干毛巾。

### 3．涂抹过多的润肤霜

如果涂抹过量的润肤霜，不但皮肤不能完全吸收，也不能达到护肤目的，还会堵塞毛细孔，导致粉刺，让眼部肌肤水肿，所以润肤霜适量即可。

### 4．只用抗皱霜祛皱

抗皱霜能够为肌肤提供丰富的营养，暂时让肌肤柔滑平整。但是，受到过强、过多紫外线照射时则易导致皱纹的出现，所以想要延缓肌肤衰老，祛除皱纹，只用抗皱霜是不够的，一定要注意防晒。

### 5．忽视脱皮现象

油性肌肤的人过度清洁后，皮肤会因为干燥而产生脱皮现象。在大多数情况下，脱皮可能是发生皮炎，鼻翼脱皮可能是湿疹的原因。所以不能忽视脱皮现象，更不能以偏概全地归类为皮肤干燥，一定要去医院检查，找出脱皮的原因，才能采取正确的方法应对。

### 6．使用过多的修复水

修复水的作用是清除洁面后的残留物。如果你的肤质比较好，或者已经使用过净肤产品，就不需要使用修复水。

## 干燥冷气房里如何护肤

Alisa：
“Cherry，空调开得太大了，我感觉脸上好干，可是不开，又真的好热！”

Cherry：
“在冷气房肌肤失水很快，所以每天至少要喝足八杯水，晚上最好切黄瓜片来敷面膜，多吃水果和蔬菜，补充足够的维生素，这才是最好的方法哦！”

## 远离那些伤害肌肤的“护肤法”

除了一些不良习惯之外，还有许多不当的护肤方法，不仅不能保养肌肤，还会造成肌肤的损害。产后新妈妈们一定要注意，不要在护理肌肤的时候，反而伤害了肌肤。

### 1．频繁蒸脸伤肌肤

蒸脸能使毛细孔扩张，在清洁毛细孔深部的油脂和灰尘时，促进毛细孔的吸收能力。但是频繁过度的蒸脸则会引发毛细孔粗大、皮肤干燥过敏等症状。

### 2．使用过于刺激的清洁产品

刺激性的清洁产品会加重肌肤负担，尤其是干性肌肤，所以尽量选择温和的清洁产品。

### 3．洗浴后不要立刻擦干

洗浴后快速地擦干水分，会使肌肤流失水分，导致皮肤干燥和瘙痒，所以洗浴后要在半干的时候涂抹润肤产品，帮助肌肤锁住水分。

### 4．每日使用磨砂膏

磨砂膏能够去角质，同时配合按摩肌肤的话，能促进皮肤的新陈代谢。但磨砂膏不能每日使用，最好是每周使用两次，否则会损伤肌肤，使肌肤更加脆弱。

### 5．护肤步骤不正确

许多人不能正确地使用护肤产品，或者使用的步骤完全不正确，这样也不能达到养护肌肤的目的。

正确的护肤步骤是先进行深层护肤，用保湿水或者保湿霜锁住肌肤水分后，再进行表层护肤，涂抹含有油脂成分的护肤产品让肌肤形成保护膜。如果步骤不正确或颠倒，就可能造成肌肤无法吸收营养。

**Tips**

**护肤产品的正确使用**

在使用护肤产品的时候，质地愈清爽的水状产品愈要先用，油脂、膏或霜状的护肤产品则要后用。

# 和脸上的斑斑点点说“Bye Bye”

4

黄褐斑、雀斑、色素沉淀、黑痣等等，一旦出现在脸部就非常影响美观。大部分产后新妈妈会因为雌性激素分泌过多，脸部出现各式各样的斑点。如何避免和消除它们是产后新妈妈护肤的首要问题。

一般情况下，斑点的产生和激素分泌息息相关。除了妊娠，口服避孕药和慢性疾病也都是形成皮肤斑点的原因。对于产后新妈妈来说，脸部常会出现各种斑斑点点，对此千万不要太过担忧，在保证身体健康的情况下，可以采取一些祛斑的方法来恢复往日的容颜。通常产后一年内是实施祛斑祛点的好时机。

## 准备好与各种斑点“作战”了吗

斑点们悄悄地爬上妈妈们美丽光洁的脸庞，及时祛除成了每一位产后新妈妈的迫切愿望。保持良好的心态，用最佳状态去迎战各种斑斑点点吧！

### 1．黄褐斑

产后黄褐斑颜色呈淡褐色或者深褐色。想要消除须掌握以下几种方法：

- 要注意防晒。外出时使用遮阳伞，或者涂抹防晒霜。
- 停止使用能够引起黄褐斑的药物或化妆品。
- 多吃新鲜蔬果，少吃刺激性食物。
- 停用口服避孕药，积极治疗各种可能引发黄褐斑的疾病。

●在捣烂的冬瓜汁中加入一个蛋黄，半匙蜂蜜，搅拌均匀后涂抹在脸部斑点处，每日1～2次，有助于使黄褐斑消退。

●取半匙蜂王浆，加入适量的维生素C、维生素E，搅拌均匀后涂抹在脸部。

### 2. 黑斑

黑色素在脸部沉积容易形成黑斑，通常黑斑的颜色较深。治疗黑斑可以用手术或药物来祛除。

补充维生素也有助于祛除黑斑形成。维生素A和维生素E能防止神经细胞老化、调节女性内分泌、促进血液循环、抑制皮肤衰老。维生素C能抑制氧化、防止色素沉淀。维生素$B_6$能够消除黑色素斑痕。所以，产后新妈妈宜多食用富含维生素的食物，例如鸡、鱼、虾、蛋黄、花生和豆制品等。

富含β-胡萝卜素的水果能增加体内的SOD（抗氧化酵素之一），延缓色斑、色素、皱纹的出现。富含硒、镁等微量元素的食物，能够祛除黑斑，美容养颜。

### 3. 色素痣

色素痣是痣细胞局部聚集组成的良性肿瘤，主要包括交界痣、复合痣、皮内痣等。交界痣细胞巢主要位于真皮和表皮交界处；复合痣细胞巢位于真表皮交界处和真皮上部；皮内痣细胞巢发于真皮内，属于多核痣细胞，皮内痣是立方形，小且色素较少。

一般不需要祛除色素痣，但若是因美容的考虑，也可以在专业的皮肤科诊所进行治疗。常用的方法有液氮冷冻、电灼和电干燥法。

### 4. 黑头粉刺

黑头粉刺是硬化油脂阻塞物，出现在额头、鼻子等部位。要祛除黑头粉刺，可以使用以下两个方法：

●“食盐+牛奶”：将适量的牛奶倒入容器中，并加入少量食盐搅拌均匀，在盐半溶解状态下开始进行轻柔地按摩。按摩半分钟后用清水洗净，不用涂抹护肤产品，让皮肤自由分泌干净的油脂保护。

●每周两次珍珠粉：取适量的上等内服珍珠粉，与清水调和成膏状，轻轻涂抹并按摩，待珍珠粉干了之后，用清水洗净即可。每周两次，效果极佳。

Tips

### 收缩毛细孔很重要

无论哪一种清洁方法，目的都是为了使毛细孔扩张，使污垢被清理掉。但是，清洁皮肤之后请一定记得要收缩毛细孔。涂抹收缩毛细孔的护肤产品，或者用冰冻的蒸馏水外敷，都能够有效地收缩毛细孔。

## 用维生素打造润泽肌肤

产后新妈妈不仅要照顾宝宝、做一些有助身体康复的活动，还要打理走样的身材或脸上的斑斑点点，事业心强的女性甚至都已经准备要重新开始工作，来自各方面的压力让产后新妈妈十分疲累、面容憔悴、皮肤干燥、头发枯萎、脸部长满斑斑点点等。这是由于身体长期劳累、精神紧张和抑郁所造成的内分泌紊乱。中医认为这是肝气郁结、肾亏火旺以及气血脾虚所致。

要缓解这些症状，让肌肤重新焕发光彩，需要调养气血。可以选择用维生素进行内在调理，养生养颜。研究人员发现，维生素E摄取充足的人一般都会容光焕发，肌肤柔嫩，充满活力。而缺乏维生素E的人，则皮肤发皱，面色萎黄，容色衰弱。因为维生素有延缓衰老、改善免疫系统、骨骼肌肉和心血管系统的功能。产后新妈妈应该积极摄取维生素，帮助身体快速恢复，使肌肤重现弹力。

除了专门的维生素E保健品，也可多食用富含维生素E的植物油、蔬菜、动物内脏、豆类、蛋黄、瓜果、瘦肉和花生等，都能及时补充维生素E。

# 晚上11点前要睡觉

Alisa：
“老公！这部偶像剧太感人了！呜呜，男主角好帅、好痴情！女主角好美、好可怜！”

俊安：“老婆，快11点了，还不快睡觉！你不怕明早起来又有大眼袋吗？”

Alisa：
“哎呀，糟了，我的美容计划！我要赶紧去睡觉了！”

## 心情愉快，肌肤也会亮起来

人们常说，恋爱中的女人最美，这是因为恋爱中的女人通常心情都很愉快，所以由内而外散发出自信、快乐和美丽，而且这种感觉还能感染到周围的人。由此可见，心情愉快也能让人看起来更漂亮。

### 1．肌肤会受到情绪的影响

大部分的人在情绪紧张、心绪不宁时，脸上会长出痘痘，有的人还会长出雀斑。由此可以看出，情绪变化会影响肌肤的状态，这主要是由于荷尔蒙分泌和自律神经的平衡，跟随着心理状态的变化最后显现在了肌肤上。了解这一点后，就应该保持心理状态的平衡，保持愉快的心情，让肌肤平整柔嫩，焕发光泽。

### 2．荷尔蒙影响肌肤状态

女性荷尔蒙能促进血液循环，补给肌肤养分，促进表皮细胞的分裂增殖，贮存皮下脂肪。产后新妈妈体内的荷尔蒙分泌较多，皮肤新陈代谢旺盛，肌肤显得光泽红润。但是要注意，女性荷尔蒙具有抑制皮肤分泌油脂的作用，会造成皮肤干燥。

皮质荷尔蒙则具有加强全身抵抗能力和对抗心理压力的作用。但是在心理压力长期未得到缓解的情况下，副肾皮质荷尔蒙分泌机能衰退，肌肤也会受到影响，产生斑点、红疹、青春痘等。

所以，产后新妈妈要建立愉快开朗的心理机制，强健身体机能，让肌肤和容颜充满活力与健康，让自己和家人都能感受到甜蜜和幸福。

Tips

**情绪会影响肠胃功能**

情绪不良会造成自律神经功能紊乱，肠胃功能恶化，导致无法吸收营养和水分，使肌肤衰老。保持愉快的心情能避免这种情况的发生。

## 正确饮食让你彻底告别斑点

哪些食物可以帮助产后新妈妈告别各种斑点的困扰呢？

| 食物 | 所含元素 | 美容作用 |
| --- | --- | --- |
| 西红柿 | 茄红素 | 抗氧化能力是维生素C的20倍，减缓肌肤衰老 |
| 葡萄 | 花青配糖体 | 抗氧化能力是维生素C的20倍，维生素E的50倍，减缓肌肤衰老 |
| 绿茶 | 茶多酚 | 去油解腻，抗衰养颜，减肥，清新口气 |
| 蓝莓 | 胡萝卜素、维生素C、钾、水溶性纤维 | 抗氧化能力，降低血胆固醇浓度，减少患高血压的概率 |
| 鲑鱼 | 多元不饱和脂肪酸 | 平衡身体里两种不饱和脂肪酸的比例，抗氧化 |
| 坚果 | 维生素E | 抗氧化，修复皮肤组织 |
| 花椰菜 | 维生素A、维生素C | 抗氧化能力，预防癌症 |
| 大蒜 | 硫化物 | 抗氧化，促进血液循环，降低胆固醇，预防高血压和心血管疾病 |

### Tips

#### 吃水果的注意事项

吃水果有益健康，但一定要注意水果的清洁。除了洗掉灰尘与寄生虫外，更重要的是要洗掉其生长过程中残留的农药。水果除了去掉其果皮外，清洗是唯一可以减少食用到残余农药的方法。使用清洁剂清洗蔬果，易产生清洁剂洗不干净的问题。正确的清洗方法，其实只要用流动的自来水冲洗就可以啰！

# 不能只重视脸部护理哦

5

脸部肌肤仅占全身肌肤的一小部分，身体其他部位的肌肤也需要精心呵护，否则，依然会加速肌肤衰老，影响美观和亮丽。试想，一双美丽的长腿如果没有光泽的肌肤，那该有多么可惜！

美丽的脸部肌肤能让你的容颜加分。但是，如果要显得有气质，美丽动人，全身每个部位的肌肤都需要精心呵护。产后新妈妈身体的肌肤问题主要是妊娠纹、背部青春痘、湿疹、暗疮、粗糙、脱皮干燥、鱼鳞、蛇皮、橘皮组织形成的难看斑纹，等等。仅靠呵护脸部肌肤，是不能解决这些令人烦恼的肌肤问题的。

## 妊娠纹会影响你的皮肤美观

妊娠纹是每一个产后新妈妈主要面对的皮肤问题。要“解决”它们，首先要防止体重增加过多。妊娠期体重增加超出正常范围，会增加妊娠毒血症、糖尿病等疾病的概率，甚至造成难产的危险。而过多的脂肪堆积也会让妊娠纹数量增多、面积增大，所以在妊娠期就要防止体重无节制地增加。

其次，要适度地运动。妊娠时和分娩后都要进行适度地锻炼，这样能防止脂肪堆积，畅通血液循环，也能有效防止妊娠纹增多和变深。

还要选择合适的补水滋润护肤产品并适度按摩。孕妈妈和产后新妈妈的体质较为特殊，选择适合的护肤产品对肌肤进行补水和营养，能够防止妊娠纹对肌肤造成的瘙痒和损害。在涂抹的时候，对妊娠纹的区域进行适度地按摩，能保证肌肤充分吸收营养，避免损伤的出现。

少吃甜食和高脂食品也有助于预防妊娠纹。甜食、油炸食品、碳水化合物等高脂食品会造成脂肪堆积，促进妊娠纹的生成。所以，尽量少吃这些食物，能有效减缓妊娠纹的形成。

最后，如果妊娠纹较多、较深，不能完全消除，可以选择专业的美容诊所进行微晶磨皮的手术，来消除难看的妊娠纹。手术前一定要详细咨询，避免出现副作用。

Tips

**补充水分帮助消除妊娠纹**

要消除妊娠纹，在妊娠初期就要开始为腹部肌肤涂抹补充水分的营养霜或乳液。足够的水分能够提升皮肤纤维的拉伸力，避免出现妊娠纹。

## 不要忽视身体各部位的皮肤护理

拥有修长的脖颈、白皙的双手、细嫩的足部肌肤是每位女性梦寐以求的，所以不要忽视这些部位的皮肤护理，精心打造属于你的美丽。

### 1. 颈项

颈部肌肤会泄漏女人的真实年龄。如果能减少颈部肌肤皱纹，使其保持细腻光滑，能够让你看起来更年轻美丽。

首先，要为颈部肌肤清洁、去角质、清除死皮。清洁后，用营养霜涂抹颈部肌肤，并轻轻按摩，舒缓肌肉，收紧皱纹。如果条件允许，可以为颈部肌肤敷面膜，补充水分、锁住营养。

其次，日常生活里，要保持颈部肌肉的健美。时常锻炼颈部肌肉，消除颈部脂肪赘肉，能完美轮廓，塑造整体线条，帮助紧致颈部肌肤。

良好的生活习惯很重要，保持良好的睡姿，能保证颈椎健康。日常生活要避免颈部肌肤干燥晒伤。涂抹防晒乳能减少外界刺激以及对颈部的伤害。

### 2. 手部

妈妈有一双洁白细腻的双手，不仅能为自己的美丽增色，还能防止划伤宝宝柔嫩的肌肤。

首先，选择合适的护手霜，深层清洁后，用护手霜涂抹在双手上，并稍微按摩，容易生长硬皮的地方要特别注意。

如果有时间，可以在夜间用营养霜做个手膜，加快皮肤血液循环和新陈代谢，夜间再戴上薄棉手套睡觉，清晨将手洗净，会收到意想不到的效果哦！

### 3. 足部

产后新妈妈容易出现足部肌肤松弛，脚跟皴裂，要拥有漂亮的足型和光滑的足部肌肤，悉心呵护不可缺少。

- 每周修剪脚趾甲。以方形最好，否则会造成趾甲生长方向错误。
- 清洁并去除角质。祛除脚部死皮前，先用温水泡脚，能软化角质，还能促进血液循环。
- 用专门的磨脚石将脚跟、脚底的硬茧磨去，祛除角质化的硬皮。
- 用专门的乳液滋润双脚，并轻轻按摩进行深层护肤。
- 穿鞋前可以使用保持足部干爽的喷雾，避免细菌滋生，去除异味。

## 光滑无瑕的背，是你的另一张“脸”

背部肌肤容易出现炎症性皮肤问题，也就是恼人的红色小痘痘。这些痘痘通常难以消除，即使消失了也会留下深浅的痘印，十分难看。怎么处理才能拥有光滑无瑕疵的背部肌肤呢？来看看我们为您推荐的小妙招吧！

### 1. 治痘小秘方

使用经过消毒处理的工具去除堵塞毛细孔的小痘痘，如果自己不方便，可以选择正规的医美诊所进行消除，避免感染。

有痘印的地方要涂抹SPF30+的防晒霜，防止色素沉淀，每日两次。有些痘痘也有可能是湿疹，产后新妈妈要分清楚，才能正确处理。

### 2. 良好的生活习惯

紧张或睡眠不足都会导致皮脂分泌过多，促进痘痘的生长，所以充足的休息和愉快的心情能帮助减少背部生出痘痘的机率。避免长发过多地接触背部皮肤，因为头发的分泌物、沾染的灰尘都会刺激背部肌肤长痘痘。

### 3. 选择合适的护肤产品

背部长痘痘后不要随意涂抹软膏，因为有些软膏含有类固醇激素成分，会刺激痘痘的生长。选择含有果酸的护肤产品，祛除背部肌肤的老化角质，能够改善整体肤色，使皮肤光滑，祛除炎症，防止复发。

## 选择棉质内衣

# 花容月貌完全可以吃出来

6

各种外在的护肤产品和化学用品，都比不上身体吸收食物的营养后自我调节的效果佳。了解哪些食物能提供足够的营养，通过食物来调养身体，让好气色由内而外自然散发，让产后新妈妈和宝宝健康又美丽。

合理搭配富含营养的食物，有助于身体的新陈代谢，补充体内水分，帮助美容养颜。一日三餐以早餐最重要，选择适合自己的早餐，将美丽吃出来。要注意的是，任何富含营养的食物都不要过量食用，否则会有反效果哦！

## 哪些营养素与美容有关呢

有8种营养素能促使我们皮肤白皙细嫩，气色红润、光彩照人。产后新妈妈一定要摄取足够的量。

| 营养素 | 每日标准摄取量 | 食物来源 |
|---|---|---|
| 叶酸 | 400微克 | 芦笋、花椰菜、麦片 |
| 维生素$B_2$ | 1.5毫克 | 鲔鱼、瘦牛排、鸡胸肉、香蕉、花生 |

| | | |
|---|---|---|
| 维生素C | 75毫克 | 哈密瓜、花椰菜、葡萄、柳橙、草莓、青椒 |
| 维生素E | 15毫克 | 花生酱、葵花油、榛果仁、葵花籽 |
| 钙 | 1000～1200毫克 | 高丽菜、脱脂牛奶、酸奶、沙丁鱼 |
| 铁 | 10～15毫克 | 瘦牛排、虾、小麦、扁豆、杏脯、豆腐、牡蛎 |
| 镁 | 320毫克 | 荞麦、豆腐、杏仁、葵花籽 |
| 锌 | 12毫克 | 牛排、猪排、小牛肉、豆腐、牡蛎 |

Tips

**准备健康零食**

喜欢吃零食的产后新妈妈要让自己更美丽，就要少吃垃圾零食。准备一些健康零食，比如杏仁、葡萄干、菠萝片、海苔片，等等，果汁和牛奶可以代替不健康的碳酸饮料。

## 这些食物，让你由内到外散发美丽

日常食物是产后新妈妈摄取营养的主要来源。那么，有哪些食物能帮助产后新妈妈保持漂亮的皮肤和完美的体形呢？

1．美容蔬菜：芦笋、高丽菜、花椰菜、芹菜、茄子、甜菜、胡萝卜、荠菜、雪里蕻、大白菜等。

2．美容水果:木瓜、草莓、橘子、奇异果、芒果、杏仁、柿子、西瓜。

3．美容肉食：鹅肉、鸭肉、鸡肉。

4．美容食用油：玉米油、芝麻油、米糠油，植物油与动物油按1：0.5～1的比例调配食用最佳。

5．美容煲汤：鸡汤，能够预防感冒、支气管炎等。

6．健脑蔬菜：菠菜、韭菜、南瓜、葱、花椰菜、豌豆、西红柿、胡萝卜、青菜、蒜苗、芹菜等。

7．健脑食品：核桃、花生、开心果、腰果、松子、杏仁、大豆、猪肝、糙米饭等。

8．减肥食物：杏仁、豆荚、菠菜、鸡蛋、鱼肉、橄榄油等。

## 进食要适可而止

## 适合新妈妈的营养早餐

上班的时候，新妈妈常常会因忙碌而无法吃早餐或者午餐。但是早餐是一定要吃的，它是身体健康的基本保证。每一个上班族妈妈具体情况都不一样，适合的早餐也就不一样。

### 1．爱睡懒觉族的营养早餐：水果+酸奶

水果早餐能帮助皮肤保持水分，还能帮助刚起床的产后新妈妈精神焕发。但由于水果早餐不能增加饱腹感，要配合低脂酸奶、南瓜、芝麻等食物，能帮助上班族妈妈获得足够的纤维素、维生素和脂肪肝。

### 2．工作忙碌的白领族的营养早餐：三明治+果汁+水果+果仁

实在没有时间在家吃早餐，只能在路上随便选择一些食品果腹，那么建议带一瓶果汁、一个水果、一些果仁和一个三明治。这种搭配不仅便于携带，还能提供足够的营养，不容易饥饿。

### 3．正在减肥美容的爱美族们的营养早餐：水果+牛奶+麦片粥

麦片粥能增加饱足感，减缓肠胃消化的速度，控制产后妈妈的食欲，所以想减肥的话，麦片粥是不错的选择。如果能添加水果和牛奶，制成美味又可口的水果牛奶麦片粥，那么既可以减肥，也能补充足够的维生素和蛋白质，达到美容的效果。

### 4．快乐周末的营养早餐：烤火腿+蘑菇+西红柿+蔬菜

制作味道鲜美的烤火腿时，尽量选择烤的方式，而不用油煎，以减少火腿的胆固醇和饱和脂肪含量过高。蘑菇、西红柿和蔬菜能够保证其他营养元素的摄取。这道早餐再加上一杯果汁，能够帮助吸收铁质。

**Tips**

**吃早餐的两点忌讳**

首先，早餐避免吃生冷食物，热食能保护肠胃，保证身体代谢循环顺畅。

其次，要避免吃缺乏水分的干燥食物。干食难以吞咽消化，吸收不良。富含水分的食物能够帮助新陈代谢，提高活力。

# 做好“面子工程”是重中之重

7

脸，是一个人的符号，代表着一个人的样貌、气质，所以拥有清爽干净的面容非常重要。精心呵护它，做好“面子工程”是护理肌肤的首要目标。

做好“面子工程”的第一步是深层的清洁，清除老化角质、死皮细胞、油脂污垢、灰尘，等等。其次是补水保湿，从内到外层层滋润，锁住水分让其光滑润泽。然后是补充营养，营养霜、面膜可以为脸部肌肤深层补充营养。为了防止紫外线所带来的肌肤伤害，保护肌肤不被晒伤是很重要的。

## 你真的会“洗脸”吗

无论采取什么样的皮肤保养方法，都要从清洁开始做起。各种尘埃、细菌和微生物，以及皮肤自身的分泌物和死细胞都会影响肌肤的正常代谢和功能。而脸部肌肤是每个人展现自我的重要部位。那么，如何正确地进行脸部清洁呢?

首先，要选择纯天然无刺激性的洗面奶或者洗面皂。清洁的时候，用热水打开毛细孔，用洗面奶轻轻按摩肌肤，清除毛细孔污垢。

然后，用去角质或者死皮的护肤产品，清除脸部肌肤的死皮细胞和角质。

接着，可以帮脸部做按摩或者是敷面膜，也可以两者都进行。按摩时，选择专用的脸部按摩霜，从鼻翼开始向外推开，让肌肤光泽有弹性。面膜能帮助深层清洁，还能让毛细孔充分地吸收营养。

正确的洗脸护肤，能避免细菌感染，保持皮肤正常的新陈代谢，减轻负担，调节皮肤的PH值，让脸部肌肤呈现自然青春活力。

Tips

**不要过度清洁脸部**

刺激性过强的洗面产品会刺激肌肤，造成肌肤损害。而洁面过程中用力过度搓洗也会造成肌肤表皮层损伤，所以不要过度清洁脸部，适度即可。

## DIY面膜有哪些种类

许多纯天然的食物不仅可以食用，还可以做成面膜，帮助皮肤美白亮丽。那么，究竟有哪些食物可以做成面膜，分别又有什么作用呢？

| 种类 | 操作方法 |
| --- | --- |
| 蜂蜜 | 过滤后，取少量均匀地涂抹在肌肤上，10～20分钟后用温水洗净，滋润养颜。 |
| 醋 | 以比例1：5的醋和甘油均匀地涂抹在肌肤上，保持细嫩。 |
| 黄瓜 | 切黄瓜片后涂抹在脸上，黄瓜汁能够帮助防皱去纹。 |
| 鸡蛋 | 油性肌肤可以用蛋白敷脸，干性肌肤可用蛋黄敷脸，一周后就能娇嫩光滑。 |
| 西红柿 | 将西红柿汁混合蜂蜜涂抹在脸上，干后用清水洗净，能美白肌肤。 |
| 西瓜皮 | 西瓜皮含西瓜汁的部分涂抹在肌肤上，再用清水洗净，涂抹一点油脂，能保持细嫩。 |

续表

| 种类 | 操作方法 |
| --- | --- |
| 细盐 | 细盐混合蛋白和蜂蜜，每周涂抹2～3次，涂抹后用温水洗净，能预防痤疮。 |
| 牛奶 | 牛奶和面粉调成糊状，涂抹脸部，干后洗净，能够防止皱纹，每周2次。 |
| 橄榄油 | 用橄榄油按摩肌肤，能够滋润美白，增加肌肤弹性。 |
| 草莓 | 捣碎的草莓汁调入鲜牛奶中，涂抹脸部，15分钟后清洗，能滋润肌肤，防皱。 |
| 胡萝卜 | 胡萝卜加上蛋黄和蜂蜜，调成糊状，敷在脸部，能够祛除痘痘，防止皱纹。 |
| 大白菜 | 新鲜的大白菜碾压成网糊状，敷在脸上，10分钟1张，一次3张，能够美白。 |

Tips

**制作面膜的小秘诀**

自己制作面膜的时候，选择不含杂质的蒸馏水，才能够制作出最好的面膜哦！

## 四季皮肤保湿方法有何不同

肌肤最重要的保养方式就是保湿，不同的肤质保湿方法不尽相同。而不同的季节，保湿方法也有区别。

| | 干性肌肤 | 油性肌肤 | 混合性肌肤 |
|---|---|---|---|
| 春季 | 春季需要补充水分，而干性肌肤更需要补充水分，从肌肤深层开始补水，保持肌肤湿润，使用含油脂的保湿乳液。 | 油性肌肤要避免春季缺水而分泌旺盛的油脂。油性肌肤容易分泌油脂堵塞毛细孔，需要使用深层清洁的护肤产品，再进行保湿。 | 混合肌肤状态不稳定，要分开保湿，T字部位深层清洁后，用质地清爽的乳液保湿，而两颊干燥的部位则要用富含营养和油脂的保湿产品。 |
| 夏季 | 夏季时干性肌肤也会由于出汗而分泌油脂，因此只要选择一般性的保湿产品就可以了。 | 夏季油性肌肤会非常黏腻，保湿的主要步骤就是控油保湿。肌肤油腻主要是因为缺乏水分，深层清洁后，选择清爽质地的平衡水和乳液进行控油补水。 | 混合性肌肤选择质地清爽的补水产品，保证肌肤湿润，重点要去除T字部位的老化角质和油脂，再使用含水分60%的补水润肤产品保湿。 |
| 秋季 | 秋季干性肌肤不仅需要大量补充水分，还要防止过敏出现的小红疹，多喝水，补充足够的维生素，就能从内部调整肌肤状态。 | 秋季要保证房间内水分充足，这样可以从调节外部环境对肌肤进行保湿处理。油性肌肤要从富含营养的护肤产品里吸收营养，再涂抹保湿产品。 | 在秋季，混合性肌肤要注重T字部位不会因干燥而脱皮。保湿喷雾能助肌肤不流失水分。尽量减少使用刺激性清洁产品的次数，防止干燥的护肤产品都能发挥作用。 |
| 冬季 | 冬季干性肌肤要防止冻伤，以及缺水性干燥。选择能锁住水分，防止冻裂干燥保湿度较高的护肤产品进行保湿。 | 油性肌肤需要提高肌肤的自我调节能力，可以从食物和日常生活环境的改变来保持肌肤水分。冬季时，使用富含油脂的纯天然保湿产品也可以帮助保湿。 | 混合性肌肤要平衡水分和油脂，选择平衡性的护肤产品，还要防止冬季紫外线对肌肤的伤害。最佳方式是以肌肤当天的状态进行保湿的步骤。 |

## 别用矿泉水喷雾

## 脸部控油分五步走

产后新妈妈由于内分泌失调，总会感觉肌肤油腻。利用专门控油的清洁护理和身体调养就能消除这些烦恼。

### 第一步：深层清洁

使用质地温和清爽的洗面奶，用按摩转圈的方式沿着额头、鼻翼、下巴和两颊，由外向内进行清洁，就能彻底清洁皮肤。清洁用水最好是温水，不要使用冷水。

### 第二步：收缩毛细孔

选择含有酒精成分的爽肤水，能够在深层清洁后收缩毛细孔，帮助排出毛囊口的污垢皮脂等，还能帮助抑制皮肤分泌，调节酸碱平衡，补充水分。但是敏感性肌肤禁用。

### 第三步：补水滋润

选择果酸类滋润产品，能够平衡油脂分泌，防止粉刺，减少皱纹。深层滋润皮肤需要清爽型保湿产品，而补充水分后还需要涂抹营养霜，保证肌肤有足够的营养。

### 第四步：特别护理

用去角质、去死皮的温和型磨砂膏等护肤产品，清除毛细孔的污垢，减少粉刺，每周进行1～2次。每周至少敷一次面膜，面膜能帮助清洁，深层滋润肌肤，增强其他护肤产品的功效。需要注意的是，日常护理需要重视防晒，紫外线是导致肌肤老化、晒伤、皱纹的大敌。

### 第五步：调理身体

要保护肌肤，就要少吃辛辣、脂肪、甜食、煎炸的食物，饮酒和刺激性食物都会对身体和肌肤造成损伤。蔬菜、水果等清淡的饮食是美白细腻肌肤的最佳调理食物。

**Tips**

**吸油纸的使用**

大多数女性都会选用吸油纸来控油。吸油纸分为四种：具有杀菌功效的传统金箔吸油纸、能够补妆的粉质吸油纸、粗糙但效果强劲的麻制吸油纸、柔和保湿的蓝膜吸油纸。使用吸油纸后，会带走肌肤的水分，所以需要实时保湿。

# 明亮的眼睛，需要特殊护理

8

眼睛是灵魂之窗，拥有一双明亮的眼睛是每一位女性梦寐以求的。而眼部肌肤是皮肤里最柔嫩的部位，护理的时候需要温柔仔细。过于用力或者过于草率的护理方法，都会损伤眼部肌肤。

产后新妈妈为了照顾宝宝，常常不眠不休，容易造成眼睛浮肿，眼袋过大过深，眼球出现血丝，熊猫眼也常常出现，还会因疲劳过度而过早出现鱼尾纹。所以，要选择适合的方法精心护理双眼，滋润眼部肌肤。产后新妈妈要注意，进行外部护理时，保持良好的日常生活习惯，避免用眼过度，才是保护眼睛的最佳方式。

## 不可不知的眼部护理原则

一双明亮清透的眼睛能散发迷人的光彩，然而黑眼圈、大眼袋、红血丝、皱纹这些讨厌的家伙们会破坏这种光彩，因此对眼部肌肤的护理就需要细心呵护了。护理眼部可以遵循以下几个原则：

### 1．眼睛要适当地休息

长时间用眼会造成眼部干涩、疲劳，严重时还会引起刺痛。产后新妈妈由于长时间照顾宝宝，会造成用眼过度，适当休息能让眼睛放松，并摆脱疲劳。

### 2．常做护眼操

适当地进行眼球运动，能放松眼部肌肉。常做护眼操，能够加快血液循环，帮助眼部血液流通，强健眼部肌肉。

### 3．深呼吸也能护眼

深呼吸不但能帮助肺部和气管扩张收缩，还能够保护眼睛。主要是因为血液循环加快，全身肌肉放松，眼部肌肉和皮肤也得到充分的氧分。

### 4．多吃健康护眼食品

深海鱼富含大量DHA，帮助发育视网膜，防止眼睛病变。胡萝卜、柠檬、肝脏等能增加体内抗氧化物质，对抗衰老现象，有效护眼。

Tips

**护眼霜的妙用**

洗脸后，在眼部周围涂抹营养丰富的眼霜，可以帮助消除黑眼圈、红血丝和浮肿。如果能够每周敷一次眼膜，还可以祛除皱纹，消除脂肪粒。

## 告别眼睛水肿的妙招

眼睛水肿是由于眼皮脂肪层较厚，或者是眼皮内含较多水分所引发的。肿胀的眼泡显得慵懒没有精神，还会伴随眼部疲劳和干涩。

如何消除恼人的眼部水肿呢？可以选择以下招数。

### 妙招一：贴黄瓜片

又薄又冰凉的黄瓜片虽然不能够减轻水肿，但是富含水分的黄瓜片可以让眼睛周围的血管收缩消肿。

### 妙招二：敷红茶包

红茶包中的鞣酸成分可以消肿，效果极佳，最好用冷水浸泡过的茶包，能够帮助肿胀的眼部血管收缩。

### 妙招三：消除眼部水肿的专业护肤产品

复颜抗皱的紧致眼霜，富含维生素A的超微粒子和弹力紧致素，能够镇定、补充水分、消除眼部皱纹。选择紧致肌肤的纯天然护眼产品，能有效地祛除眼部水肿、紧致眼部肌肤、消除黑眼圈和皱纹。

## 苦咖啡能够消除眼袋

## 有哪些预防眼袋的有效措施

大大的眼袋会让人显得衰老而没有精神。产后新妈妈由于要照顾宝宝，睡眠不足，很容易产生眼袋。要想彻底消除眼袋比较困难，所以要在眼袋出现之前就开始防御和护理。

### 1．眼袋防御措施

- 轻柔对待眼部肌肤，清洗时的用力拉扯会造成肌肤损伤。
- 尽量使用柔软的化妆棉为眼部肌肤涂抹护肤产品，切忌使用粗糙的物品。
- 暴饮暴食和无计划的节食，会改变脂肪进而影响肌肤弹性。
- 避免揉眼、眯眼、过度眨眼，避开强光直射眼部肌肤。
- 每日饮清水8杯，充足的水分能保持肌肤柔嫩，但睡前不要喝太多的水，否则会引发眼部浮肿。
- 晚上使用补水滋润型眼霜能有效消除眼袋。
- 佩戴隐形眼镜时，尽量要拉上眼皮，拉下眼皮会造成眼袋哦！

### 2．消除眼袋护理

睡前在眼部涂抹维生素E胶囊中的粘稠液，并进行按摩。四周后就能消除下眼袋、减轻衰老。

常为眼睛敷眼膜。用无花果或者黄瓜片做眼膜，能够减轻下眼袋。热水泡过的甘菊茶，放凉后敷在眼部是最佳的祛眼袋眼膜。橄榄油和蓖麻油加温后敷在眼部，也能解决大眼袋。

敲打并拍击。用油脂类眼霜向上轻轻敲打眼部肌肤，能够紧致肌肤，防止皱纹和眼袋。

还有一些小秘方也可以帮助快速消除眼袋，比如用纱布袋装满冷藏的青豆，并用来敷眼。

其实，从根本上解决眼袋问题的方法是减少盐的摄取，从身体内部调理来减少眼袋的产生，效果较佳。

# 4 运动疗法：瘦身的关键在于方法和坚持



妊娠时期女性会因为下丘脑的性腺功能紊乱，使脂肪代谢失去平衡。产后新妈妈会因为营养过剩而导致脂肪堆积。过多的脂肪不仅影响体重和美观，还会给身体带来负担，引发一些疾病。开始运动，重塑完美身型，是产后新妈妈的必做功课之一。

# 想瘦，除了运动没有其他捷径

饮食只能调整一部分的身体机能，并提供身体所需要的营养。真正想要拥有健美且苗条的身型，运动是最佳的方式。

不同的运动能锻炼不同的部位，然而，对于产后新妈妈来说，瘦腰腹是最重要的，其次是大腿和手臂。很多产后新妈妈会采取节食、减肥药等不良减肥方法，不仅伤害自身，还会造成宝宝营养不良。要知道，只有你健康，宝宝才会健康可爱。而瘦身的最佳方式，除了运动结合健康饮食，没有其他的绝招。

## 运动是产后恢复体形的法宝

运动的好处多多，对产后新妈妈的体形恢复是必不可缺的法宝。

### 1. 运动能减轻精神压力

妊娠时由于荷尔蒙变化，身体会出现水肿、肥胖。分娩后为了照顾宝宝，产后新妈妈会出现不良情绪、精神压力紧张的状况。而运动会分泌脑内啡、多巴胺等兴奋激素，能有效减轻产后新妈妈的精神紧张和不良情绪。

### 2. 运动能缓解疼痛

分娩后会出现血栓静脉炎、产后疼痛、失禁等生理问题，还会出现背痛、关节痛等疼痛症状。运动能有效减缓产后疼痛的症状以及功能失调等问题，帮助骨盆韧带恢复以及腹部和骨盆肌肉群功能的恢复。

**Tips**

**产后运动要注意**

运动前要保证肠道和膀胱清空，更要补充足够的水分。如果是哺乳期运动，要在喂奶后进行运动。如果发生疼痛，要停止运动，避免拉伤。

## 简单的产后运动法

刚刚结束分娩的女性，可以选择简单的产后运动法，时间不需要太长，每次5分钟为宜，每天至少做一次。

### 1. 俯卧锻炼

运动目的：主要是帮助子宫恢复孕前位置。

方法：平躺，双膝屈起，双手放腹部。收缩臀部并将后背紧贴床面，放松。

### 2. 盆腔练习

运动目的：主要是帮助盆腔部位的恢复，避免小腹脂肪堆积。

方法：平卧，一腿弯曲，一腿伸直，足跟尽量向前拉伸，再放松，向前拉伸。换腿反复做。

### 3. 蜷腿前伸运动

运动目的：防止踝关节和足部肿胀。

方法：平卧后，将腿部蜷缩，再伸展，或者站立位，上下抬腿踏步。

简易的产后运动能够舒展筋骨，为日后耗能较大的瘦身运动打下基础。

# 和宝宝一起锻炼

Alisa：
“咦，我感觉小宝又长胖了一些，和同龄孩子比起来，他似乎有点超重呢！”

俊安：
“是啊！老婆，我有个建议，小宝已经可以开始一些简单的运动了，不如你和宝宝一起锻炼，我可以帮助你们哦！”

## 宜选择舒缓的产后运动法

云端漫步和水中慢跑是最适合产后新妈妈瘦身的全身运动。

1．云端漫步

饭后4～5分钟，调整心情，在平地或者坡地慢慢散步40分钟，心情放松犹如在云端，每分钟60～70步。如果想要瘦身效果更明显，时间可延长为1～3小时。

2．水中慢跑

产后新妈妈每周1～2次在水中进行慢跑，瘦身效果非常明显。水的密度和导热功能比空气更高，水中慢跑耗能比陆地上更多，但是水能够平均分配身体的负担。水中慢跑能避免汗液蒸发后皮肤干燥，能够帮助产后新妈妈紧致肌肤，是最好的瘦身运动。

**Tips**

**产后新妈妈应多伸懒腰**

伸懒腰能舒展身体，帮助产后新妈妈消除疲劳，促进身体恢复。起床后，工作忙碌时，舒展四肢并深呼吸可以帮助迅速恢复活力。

# 瘦身“秘笈”，你值得拥有

有一些瘦身方法是有科学依据，并经过许多人的亲身体验后得出来的。了解这些瘦身秘笈，能够更好、更快地恢复完美体形。

无论你采取哪一种瘦身方法，都要坚持科学的训练方式，并长时间地坚持下去，才能收到良好的效果。首先要根据自己的身体特征，选择适合自身体质的瘦身方法，才是最重要的。体质较为虚弱的产后新妈妈，不能选择太过激烈的运动方式，而体质强健的产后新妈妈，太过轻柔的运动不能帮助消耗热能。

## 必须坚持的产后瘦身三原则

制定产后瘦身的运动计划，主要遵循以下三项原则：

### 1．避免剧烈运动

剧烈运动有助于快速消耗热能，消除脂肪，但是这并不适合产后新妈妈。产后新妈妈身体较为虚弱，剧烈运动容易造成过度疲劳，损害健康。另外，剧烈运动还会影响子宫的恢复，严重的话更会影响分娩手术创口的愈合。

### 2．持之以恒地运动

轻、中度的有氧运动包括慢跑、快走、游泳、登山、踩脚踏车、有氧体操等。一般持续运动30分钟以上就能看到极佳的燃脂效果。所以选择有氧运动的产后新妈妈一定要持之以恒，才能达到完美的效果。

### 3．不能半途而废

健身计划的执行不能半途而废，坚定的信念是脂肪的强敌。不能偶尔懈怠而暂停瘦身减肥，也不能因为急于成功而每天进行高度的运动锻炼。心态平和，坚定信念才能完成瘦身计划。

## 新妈妈要知道的产后瘦身秘诀

秘诀和瘦身原则一样，只要坚持不懈，就能帮助产后新妈妈完美瘦身。除此之外，还应该从日常生活习惯、情绪调节等方面着手，施行一些辅助措施。

### 1．膳食搭配合理

合理的膳食搭配能够均衡营养，蔬菜和水果能够帮助补充维生素、纤维素等营养素，而肉食类能够补充丰富的蛋白质。因此，我们日常的饮食要注意荤素合理搭配，身体所需要的各种营养齐全，才能支持各种瘦身运动，帮助产后新妈妈的身体恢复各种机能。

### 2．保持排泄顺畅

便秘会导致身体新陈代谢紊乱，并造成腹部脂肪堆积，产生会被身体吸收的毒素，所以保持排便顺畅很重要。为了保证排泄顺畅，建议每日摄取2000～3000毫升的水分，进食足量的蔬菜和水果。

### 3．愉快心情能瘦身

心情愉快能帮助生理反应健康正常，能让产后新妈妈容光焕发，抑制暴饮暴食的坏习惯，成就瘦身的事业。

### 4．科学咨询合理运用

在瘦身过程中，得到专业科学的瘦身建议并合理运用，能使瘦身事半功倍，轻松许多。

# 运动前要热身

Alisa："糟了，才跑几下跑步机，我没有把速度调得很快，怎么会把脚给扭伤了！呜呜……"
俊安："刚才我好像没看见你做热身操，直接就上跑步机，这样当然会受伤，下次注意点！"

# 打造最贴身的瘦身方法

3

产后瘦身要根据每个人的身体状况来制定计划。产后新妈妈要了解自身情况，并掌握贴身的瘦身方法。

瘦身有许多方法，有些方法有效，有些方法反而会造成损害。产后新妈妈需要了解多种瘦身方法，并掌握正确的瘦身方法，避免走进瘦身的错误认知中。要注意，瘦身是为了保持完美健康的身型，瘦骨嶙峋不是美。所以瘦身不可过度，要掌握其中的分寸，健康亮丽充满活力才是瘦身的主要目的。

## 产后瘦身宜早不宜迟

通常女性妊娠时比妊娠前增加10～15千克，分娩后比妊娠前增加5千克。这些重量主要来自于乳房、子宫的增大，以及腰腹、腿部和臀部堆积的脂肪。一般产后42天后就会逐渐消失。所以产后新妈妈不要过早节食，否则会影响自身的营养摄取，直接造成宝宝营养不良。

另外，产后新妈妈也不宜过早实施瘦身运动。因为太早进行运动会增加负担，使盆腔内的韧带、肌肉受到压力，加剧松弛状态，导致子宫下坠脱垂、膀胱尿失禁和便秘等症状。这些症状初期不明显，往往会在多年后显现。

产后瘦身运动最好在产后7～10天后进行，切忌急功近利，最好是循序渐进，从简单的臀部上提、收缩肛门逐渐发展到仰卧起坐等运动，每天运动1～3次，每次3～10分钟即可。

Tips

### 产后瘦身标准

哺乳期妇女一周以减少0.5～1千克较为适宜，而6个月内减少10%的体重最理想。

## 纠正产后瘦身的错误认知

错误的方法和观点不仅不能达到瘦身的效果，反而会有损健康。那么，关于产后瘦身究竟有哪些错误认知呢？

### 1. 哺乳期瘦身

喂母乳本身就可以帮助产后新妈妈瘦身。在哺乳过程中，宝宝刺激乳房分泌催乳素。催乳素加快乳汁分泌，促进新陈代谢，消耗妊娠时体内堆积的脂肪，达到瘦身效果。如果在哺乳的时候，进行节食和运动，反而无法分泌乳汁消耗脂肪，最终毫无效果。

### 2. 便秘时瘦身

由于身体水分流失和肠胃失调引发便秘的时候，不要进行瘦身，否则病情会加重，对身体也不好。产后新妈妈要多吃富含纤维的蔬菜水果，补充大量水分，便秘痊愈后，再进行瘦身。便秘严重的时候要多喝酸奶和牛奶。

### 3. 贫血时瘦身

如果产后出现贫血症状的话，不要开始瘦身，否则会造成营养不良，进而影响乳汁分泌，不利于婴儿的健康，也可能加重贫血症状。另外，可以多吃含铁丰富的食物，如菠菜、鱼肉、动物肝脏等等，能帮助解决贫血的状况。

# 体重下降有规律

## 上班族妈妈宜选择的瘦身方法

上班族妈妈由于长时间坐办公室，无法进行具体的锻炼，那么上班族妈妈该如何在日常生活中进行瘦身呢？

### 1. 保持正确的姿势

无论是行走、坐着还是站立，保持正确的姿势很重要。收紧小腹能够防止肌肉收缩在小腹部位。抬头挺胸能够帮助拉紧腰背部肌肉，扩张胸部曲线，完美塑造优雅身形。

### 2. 利用身边资源瘦身

上班族妈妈们总有许多会议要参与，这时可以做提肛运动。具体操作时：吸气时收缩上提肛门，呼气时自然放松。提肛运动有助于补肾固涩，帮助骨盆血液循环。写作公文时可以用闲置的手揉搓小腹，帮助肠胃活动，促进蠕动，防止便秘和消化不良。打电话的时候，还可以伸展手臂，或用手臂做画圈运动。

**Tips**

**上班族妈妈瘦身的注意事项**

在办公桌上准备一个漂亮的杯子，每日摄取足够的水分，才能促进身体血液循环，消除脂肪。少在外吃饭，外食比自己准备的更油腻、含更多的脂肪。

# 细腰与美腿是这样练成的

纤细的腰和瘦长而笔直的美腿是每一个女性想要拥有的，而经历了妊娠和分娩的女性，更是迫切地希望能重新拥有少女时的曼妙身材。只要严格按照科学的瘦身方式进行运动，你就能拥有细腰和美腿！

重新拥有细腰、美腿就要开始调整分娩后的生活规律。合理的饮食搭配，注意足够的蛋白质和维生素以及其他营养素的摄取。保持规律的作息时间，即使是照顾宝宝，也不要打乱你的生理时钟。生命在于运动，所以不能忽视运动的作用，要循序渐进地进行健美瘦身，才能同时拥有健康和美丽。

## 美腿是这样塑造出来的

妊娠期间由于腿部静脉曲张和水肿，可能使你的小腿变得很粗壮。分娩后，由于荷尔蒙的变化以及各种高热量补品和食物的摄取、久坐不运动等原因，“小粗腿”的情况可能变得更严重。那么,该怎么做才能重新拥有美腿呢？

### 1．正确饮食能瘦腿

产后新妈妈的饮食结构以淀粉和糖分居多，要改善饮食结构，多吃富含纤维素和维生素的低糖食物。搭配合理的饮食，能够防止身体摄取过多高糖、淀粉，进而达到瘦身、瘦腿的效果。不要认为想消除腿部水肿就要少喝水，多喝水反而能帮助新陈代谢，加速瘦腿效果。

### 2．改善日常生活姿势

姿势不良会影响血液循环不顺畅。产后新妈妈长时间维持不良站姿或坐姿，很容易导致身材变形。所以产后新妈妈每隔一小时就要活动一下身体，舒展四肢，拍打身体各个部位帮助血液循环。跷二郎腿等不良姿势要尽量少做，保持抬头挺胸收腹的正确姿势，才能使身形完美，塑造美丽长腿。

### 3．简易美腿操

单腿站立，另一条腿抬起贴住墙面，大腿和小腿呈90°，每日坚持15～20分钟。然后换腿。

平躺，双手放在两侧，双腿合拢慢慢往上抬，和床面呈30°，保持5秒钟再放松。每天练习10次。

这两种美腿操可以帮助紧实腿部肌肉，锻炼腹部肌肉，塑造完美下半身。

**Tips**

**美腿计量办法**

小腿长度＞26.3%×身高；小腿最大圆周≈3/4×小腿长度；小腿上围＝最大圆周；小腿中围＝（上围＋下围）÷2；小腿下围＝63%×上围。

例：160cm的产后新妈妈，最佳美腿比例为：小腿长度约为42cm，小腿最大圆周为32cm；小腿上围32cm，小腿中围26.5cm，小腿下围20cm。

## 重塑美腿就两招

产后新妈妈由于长时间缺乏运动，双腿堆积了大量的脂肪而变得粗壮，腿型也就愈来愈难看。要重塑美腿，主要是改善腿部水肿和静脉曲张，重新锻炼紧实的腿部肌肉。那么，要如何才能改善呢？

### 1．外力挤压法

产后新妈妈不能过早地剧烈运动，可以采用弹力绷带或弹力套袜来帮助压迫下肢静脉，迫使血液回流入心脏，能够消除或减轻下肢肿胀的症状。这种方法在妊娠后期也适合使用，是重塑美腿的妙方。

### 2．运动健美法

运动永远是帮助身体健康、身材完美的最佳方式。

第一节：坐在地上，下肢伸直，腰部挺直，手臂放在身后，伸直并支撑地面。吸气，脚尖往上翘，呼气，脚尖伸直。

第二节：仰卧，下肢伸直分开，双臂放在身体两侧，吸气，左脚伸直与身体呈90°，足尖翘起。双脚交替进行。

两节操各做2～3分钟，早、晚各一次。要注意，这种运动健美法适合自然分娩的妈妈。

## 运动方式可以各式各样

### 办公室里也可以瘦腿哦

上班族妈妈们在办公室里可以利用办公椅子来进行瘦腿，既方便又实用简单，是上班族妈妈可以掌握的方法，千万不能忽视。不妨来看看我们为你推荐的办公室减肥小妙招吧。

方法一：坐在办公椅子上，两手扶住椅子，固定好身体，伸直抬起一条腿，保持30秒。换腿，重复以上动作。要注意，伸直膝盖的同时，不要挪动膝盖的位置。

方法二：坐在办公椅上挺胸，交叉两腿，脚尖着地，上腿下压，下腿上顶，用力并保持30秒。双腿互换位置，重复以上动作。一日2~3次即可。

方法三：椅子摆放在身体前方，左手自然垂下，挺胸收腹。右手抓住椅背，右脚抬起，单腿站立。吐气，抬起右脚跟，吸气，放下右脚跟。换腿后重复以上动作，重复10次即可。

**Tips**

**瘦腿小秘诀**

右腿伸直，脚背绷直，向前抬起与地面平行，然后缓缓向两侧移动，重复20次。换边，重复以上动作。这个小秘诀不仅能瘦腿，还能使身材更好。

## 细腰就这样“走”出来

大步大步向前走，能够让腰肢纤细，体态轻盈，你相信吗？

大步走其实是最简单的瘦腰运动。这种瘦腰方式不仅能在晚饭后进行，上下班和办公室里也都可以进行。

1. 办公室大步走：大步走的时候，脚尖前伸，用小腹的力量减弱腿部力量，收紧小腹自然挺胸，然后让整个脚掌都落地。这种方法适合在办公室里进行，让体态变得窈窕轻巧。

2. 上下班途中大步走：收腹挺胸，抬头缩臀，大步前进，大幅度甩动双手。这个方法适合上下班途中和傍晚散步的时候，能够收紧腰部和臂部的肌肉，让人充满活力，神气十足。

需要注意的是，前进大步走的时候，不要平放整个脚掌，而是以“脚尖——

脚心——脚跟”的顺序着地，或者相反的方式，这样走路能够拉紧下半身的肌肉，完美腰腿曲线。

## 时间安排

# 上班族妈妈瘦身宜“见缝插针”

照顾宝宝、忙于工作，还要顾及家人的感受，上班族妈妈实在是忙得团团转，而辛苦和疲劳并不能塑造健康完美的身材，该怎么做才能忙里偷闲瘦身呢？

其实，上班族妈妈身边处处是瘦身的场所，学会利用身边的资源和空闲时间，使用身边的“健身房”和“健身器材”，来个“见缝插针”，就能开始进行忙里偷闲的瘦身计划。要注意，瘦身运动需要健康的饮食和作息习惯，千万要量力而行，不可疲劳过度、体力透支哦！

## 不同办公室场所的瘦腿法

其实，上班族妈妈身边就有许多健身运动场，你发现了吗？

### 1. 停车场

为了方便，许多上班族妈妈把车停在离出口最近的位置。其实，如果尽量将车停放在远离出口，能够在宽大的停车场里多步行几分钟，就能够达到健身的作用哦！步行的时候注意以下方法：

- 站直，收腹，放松双肩。
- 右脚伸出，踏在台阶上，右脚用力向下，身体用力拔高，拉伸臀部和大腿肌肉。

●将左脚踏出，踩在第三层台阶上，用力向下，身体拔高，拉伸肌肉。

保持这种步行方法，每次迈两层台阶，持续几分钟，就能看到效果。

### 2. 洗手间

洗手时间是私人时间，可以忙里偷闲，进行瘦身运动。

●面朝墙壁，双脚打开，与肩同宽。

●双手扶住墙面，与肩同高。双肘弯曲与胸廓呈菱形状，收腹，保持腰背挺直。

●吸气，进一步弯曲肘部，胸部靠近墙面，上身保持挺直。

●吐气，恢复起始动作，反复8～12次，保持1分钟。

### 3. 公交车

许多上班族妈妈要赶公交车或者搭捷运，赶车的路上可以利用拉环、背包和座椅进行一些别人看不出来的健身小运动。

●拉环小运动：右手拉住拉环，左手扶住右手臂内侧，右手臂朝身体方向用力，左手反推用力。10秒后，停止动作，感觉手酸的时候可以换手重复动作。

●背包小运动：背包或皮包抱在腹部，腹部内缩，用手压住皮包紧贴腹部，用力保持紧绷状态即可。站立时可用手挤压腹部，坐着时可将背部压向椅背。每一个动作维持6秒，反复3～5次。

### 4. 楼梯

楼梯是非常理想又免费的有氧运动器材之一，常坐电梯的上班族妈妈可以选择试下楼梯的健身法：

●循环法：低楼层办公的上班族妈妈可以按循序渐进的原则逐渐增加爬楼梯锻炼的时间。

●反登法：扶着楼梯，背朝上登梯，这种方法要注意防止摔倒。

●间歇法：高楼层的上班族妈妈在登梯3分钟后，休息3分钟。再登3分钟，再休息3分钟，时间每次以不超过20分钟为佳。

**Tips**

**健身时要防止受伤**

如果身体感觉不舒服，就要停止健身运动。健身的时候，以身体最大承受力为标准，不要太过用力和拉伸，以防止受伤。

## 随时随地缓解全身上下的疲惫

把办公室当成健身房，随时随地健身，可以消除工作所带来的疲劳感，使精神饱满，充满活力，让身体和大脑调整到最完美的频率。

1．锻炼头部

头部用力向下低垂，紧贴胸部，可用双手帮助向前拉伸头部，然后抬起头用力向后仰伸，感觉头部发酸即可。头部用力向一侧弯曲，酸痛时停止，再向另一侧弯曲。头部沿顺时针方向环绕，再沿逆时针方向，可以听到颈椎发出的响声。

2．锻炼肩部

一侧肩部向上耸起，一侧肩部向下垂坠。两侧肩部同时向上耸动。双肩一上一下沿着颈部前后环绕旋转。

3．上身锻炼

坐着，挺直上身，并轮流向左侧和右侧转动，转动到最大程度即可。

4．下身锻炼

坐着，小腿伸直抬起，脚绷直，持续几秒，放下，再抬起。双手握拳，拳眼相对夹在两膝盖之间，两膝从两侧夹紧双拳。

## 咖啡助瘦身

Alisa：
“Cherry，你怎么泡这么浓的一杯咖啡？不怕胖吗？”

Cherry：
"这你就错了，午饭后一杯浓郁的咖啡能够帮助消化，促进脂肪燃烧哦！但是要记得，不要加糖和奶精哦！不怕苦，就跟我一起喝。"

Alisa：
"好，要减肥就不要怕苦！"

## 办公室里的简易瘦身操

办公室的减肥操简单可行，能够帮助没有时间去健身房的上班族妈妈快速瘦身。

1. 热身运动

左手伸直抬起至肩膀部位。右手向后伸直平衡身体。右腿屈膝抬高，尽量靠近左手。然后换手、换腿重复以上动作。重复100次为佳。

2. 办公室瘦身操

站在办公椅子背后，保持一定距离，双腿并拢收紧臀部和腿部肌肉。上半身向前弯曲与地面平行，左右手交迭伸直平放在椅背上，收紧腹部肌肉，拉紧背部肌肉。左腿向后伸直抬起与上半身保持水平，脚绷直，维持10秒，交换腿，重复30次。

### 办公室瘦身良方：薏仁茶

炒薏仁10克，鲜荷叶5克，山楂5克。用热水将材料煮开就可以饮用了。薏仁茶能够清热、利湿，治疗水肿，是办公室茶杯里必备的减肥瘦身良方。

# 瘦身，重在随时随地

产后新妈妈想要瘦身，一定不可以懒惰，充分利用空闲的时间和空间，随时随地让脂肪燃烧，才能迅速恢复完美身形。

塞车、等车、收发e-mail、打电话、午休、加班时，不要说忙的没有时间进行瘦身，其实这些零碎的时间都可以充分利用来进行锻炼，彻底执行瘦身，将这些方法牢记在心，养成随时随地做运动的好习惯，这样才能让身形更加完美！但是要注意，不要因为迫切的心情而急功近利，透支体力。循序渐进才是最完美的瘦身原则！

## 不妨利用塞车时间

开车遇到红灯和塞车时，可以这样做：

### 1．腕骨练习

端坐在方向盘前，双肩放松，手臂自然垂落，左肘弯曲，左前臂与大腿平行。放松手腕，手心向上，手指向上。吸气4～5秒，右手放在左手掌心，呼气5～6秒，右手向左手加压。感受腕骨底端和前臂被拉伸。交换手臂后重复以上动作。

### 2．肩部练习

吸气，双肩努力向上提并靠近耳部，同时收紧上背部、颈部、肩部的肌肉。吐气，放松双肩和其他部位的肌肉。双肩分别在两侧以顺时针的方向环绕，释放肌肉紧张感。每次练习30秒为宜。

### 运动时注意呼吸频率

健身运动要调整好呼吸的频率，频率过快或者过慢都会影响身体的新陈代谢和血液循环，保持平稳的呼吸频率，动作轻柔，多做深层呼吸能够强化运动的效果。

## 办公闲暇时间也可运动一下

上班族妈妈通常在办公室久坐不动，收发e-mail的时候可以缓解因久坐造成的肌肉僵化。如果利用这个时间进行一些小运动，能够强健胸背、肩臂和腰腹部的肌肉。

1．揉拿上肢

站立，右手手掌放在左肩，捏住肩部肌肉，用手指轻轻提起肌肉，并进行一松一紧的揉捏。从肩部到手腕，力量由轻至重，揉捏10次后，换手、换肩重复以上动作。

2．扩胸举目

站立，双手在背后相握，伸直后缓慢向上抬起，胸部自然扩张的时候，举目向上望，重复10次。虽然上班族妈妈是坐着看邮件，也可以进行一些小动作来舒展肩部和胸部，使精力充沛，身形更完美。

●端坐，放松双肩，手臂放在身体两侧，相握于背部下端。收紧腹部，保持背部挺直，吸气。吐气时将双肩向背后夹紧，双手向后抬，拉伸胸廓和双肩保持30秒，重复5～10次。

●左手握住右手腕，提高到胸前，两手互相推动，并提高至头部，再返回放松，重复5次后交换手臂，每次20下。

●双手合十放在胸前，垂直向上，伸过头顶在回到到胸前。重复几次后，可向左右作平移运动。再重复几次，总共做5分钟，才能有效紧致肩、背和手臂的肌肉。

Tips

**脸部肌肉也要锻炼**

除了身上的肌肉，上班族妈妈也不能忽视脸部肌肉的锻炼。嘴部做出鼓气嘟嘴的动作，来回2～3分钟，可以拉近下颌和颈部肌肉。

## 不要忽略午休的减肥时间

中午的时候，尤其是午饭后人会很容易感到疲倦。这主要是因为上午的能量消耗造成体内血糖水平降低，另一方面是人在进餐后，大量的血液流向胃部，参与食物的消化作用，导致大脑的供血量下降，所以会感到比较昏沉。如果在这个时候进行锻炼，不仅达不到效果，还会引发运动性休克，原本就处于疲劳状态的大脑在体力过渡消化的情况下，可能会引发过劳死。

那么，如何将午休的时间利用起来减肥呢？

午休时间主要从调整饮食和运动入手：早餐要营养，足够提供所需能量，11点左右可以用饼干、巧克力等小食品加餐。中午12点～13点进行有氧锻炼，休息半小时后，再进餐至八成饱。

这种方式要保证每晚睡眠时间足够7～9小时，否则大脑和心脏都会无法承受。

## 加班时可以做瘦腹运动

辛苦加班的上班族妈妈，可以趁办公室人少的时候，做一些小动作帮助减轻小肚子的重量，消除脂肪堆积。

- 坐定，双腿分开，双手打开成七字，上身向一侧横移90°，还原，换边重复。
- 坐姿，小臂在后支撑住身体，双脚伸直，开始做蹬车动作。
- 单腿跪地，另一腿伸直，向一侧拉伸腰部线条。
- 平躺，用力抬起上身，用左肘部尽量靠近右膝盖，然后交换，用右肘部尽量靠近左膝盖。
- 平躺，腿部与上身同时用力起身，双手抓住脚踝，坚持5秒钟。

**Tips**

**减肥夜宵：红豆粥与木瓜色拉**

红豆富含石碱酸，能够促进大肠蠕动，增加排尿防止便秘，对清除堆积的脂肪有奇效。木瓜含有的独特的蛋白分解酵素，能够清除脂肪，果胶成分也是优质的洗肠剂，帮助排除体内废物。

# 良好的习惯能让你瘦身不反弹

不良的习惯和姿势会造成肌肉松弛，脂肪堆积，皮肤暗沉。那么反过来，良好的习惯和姿势，就能紧致肌肤，紧实肌肉，让皮肤光滑亮泽。

不良的坐姿不仅会导致腰腹部赘肉累积，还会影响脊椎骨骼的形状，诱发一些病症；不良的站姿不仅会影响脊椎骨骼的形状，还会对产后新妈妈的盆骨、腿部骨骼和肌肉等部位产生影响。所以，为了自身的健康，请保持良好的姿势和日常生活习惯。良好的习惯会通过产后新妈妈的言传身教让宝宝也予以保持。

## 要知道自己身体发生的变化

养成良好的习惯，会有意想不到的瘦身效果。那么，究竟有哪些习惯能帮助产后瘦身呢？

### 1．合身衣裤瘦腰腹

合身贴身的衣物能够让人在不知不觉中挺胸收腹，隐藏自己凸出的小腹。腹部脂肪堆积过多的产后新妈妈，不要选择遮掩腹部曲线的束腰长款上衣，显示腰部曲线的衣服会挤压腹部赘肉。另外，产后新妈妈会为了掩饰腰腹部的赘肉而尽力收紧腰腹，以达到锻炼腰腹部肌肉的目的。保持这个习惯，很快这些衣服下的赘肉就能消失无踪。

### 2. 高跟鞋能瘦腿

高跟鞋能让人一直保持脚尖站立，腿部肌肉得到拉伸和锻炼，常穿高跟鞋能让上班族妈妈的腿部又长又直。

### 3. 养成收紧下巴的习惯

上班族妈妈常常将下巴向前移，这会引起头部和颈部血液循环不畅，出现头痛肩酸的症状。如果能注意保持收紧下巴，头部和颈部就会保持完美曲线，背部肌肉和肩胛骨就能打开，使得身形更加优美。

**Tips**

**穿高跟鞋需要注意的问题**

高跟鞋的鞋跟太细，受力点不均匀，会让产后新妈妈感到疲倦，还有可能会摔倒受伤，不能达到瘦身效果。所以，选择粗跟的高跟鞋能减轻压力，缓解部分疲劳，更易达到瘦身效果。

## 沐浴加按摩，愈洗愈苗条

"沐浴＋按摩"能够瘦身美容，这是因为水力按摩和运动刺激穴位帮助增强新陈代谢，从而达到美容效果。

沐浴时先躺在浴缸中，双手扶住浴缸两侧，双脚伸直，腹部肌肉用力，臀部抬起放下，重复15次。泡澡后可改为淋浴，使用沐浴乳的时候，用手指沿肚脐方向顺时针按摩15～20次。

淋浴时用水压和手指等按摩肩部穴位30多次，能够收缩血管，促进新陈代谢。沐浴的时间最好控制在1小时内，水温保持在38℃左右，隔日一次，这样就能彻底清洁又兼顾到美容效果。

# 沐浴后的瘦身霜不可少

Alisa:“老公，我发现，我好像还差一样东西！否则沐浴效果就大打折扣啦！”
俊安：“哇，这么多瓶瓶罐罐了，还差什么啊？”

Alisa：“是啊，还差一款沐浴后的瘦身按摩霜！老公，你……”
俊安：“好好好，我去买，我马上去买！”

## 活动一下手，告别“鼠标手”

你是否感到食指和中指微微疼痛？手指尖肌肉有麻木感？双手也开始没什么力气？当以上症状出现的时候，就要注意了，这可能是患上了“鼠标手”！

“鼠标手”又叫做“腕隧道症候群”，主要是人体手部神经(正中神经)在手腕进入手掌的时候，受到压迫导致的病症。产后新妈妈要防治“鼠标手”，可以按照以下方法进行锻炼：

- 端坐在椅子上，双肩放松，右手拿一个水瓶，收紧腹部肌肉，挺直腰背。
- 右前臂放在右侧大腿上，掌心向下，手腕放在膝盖上，放松腕部。
- 吸气，腕部用力上抬，右前臂向前运动将水瓶举起；吐气，恢复开始姿势。
- 重复8～12次，每次保持30秒，换臂练习。

Tips

**扭伤的腕部不宜锻炼**

如果腕部本身有扭伤，就要停止锻炼带有腕部活动的各种瘦身运动，否则会加深伤势，也无法发挥任何瘦身的作用。

# 美胸加翘臀，你可以做到

分娩后，你是否觉得自己的胸部更大了？但是，同时又有胸部下垂的感觉？臀部也比以前更有肉感，却不够紧实，而是松垮垮的？如果出现这些情况，可要小心了！

因为分娩和哺乳而变形的胸部和臀部，会大大降低你的形象得分，有的甚至会影响温馨的家庭生活和工作事业。所以，重塑美丽的胸部和翘挺的臀部，能让你的生活更加充满自信。要拥有傲人美丽的胸部，就要坚持母乳喂养和乳房疏通。而美丽的臀部，最好是以运动的方式来塑造。

## 产后美胸有方法

产后是女性重塑健美胸部的关键时期，护胸健胸方法得当的话，可以让乳房比妊娠前更加丰满、坚挺。那么，哪些护胸健胸方法能有这么好的效果呢？

### 1. 坚持母乳喂养

有部分女性错误的认为，哺乳会导致乳房下垂松弛。其实不然，在哺乳过程中，宝宝对乳头的吸吮会让母亲的乳房内分泌乳汁的乳腺组织不断接受刺激，这种刺激会导致乳房内组织愈加发达，乳房会更大更坚挺，所以，在医生指导下进行正确的母乳喂养，乳房会更加丰满结实，显出女人的魅力。

### 2. 乳房疏通

乳房疏通是一种通过有氧运动达到乳房深层疏通的锻炼方式。它能够避免腺管内残留乳汁造成的堵塞、感染等病症，还能够修护子宫，保护卵巢。若产后新妈妈们能在断奶3个月后，到专业医疗机构进行乳房疏通，就可以避免乳房变形和病变。

## 三招能让你的胸部更美

美胸、健胸不是一天就可以达到的，需要坚持不懈地努力，三招美胸方法，只要能严格按照计划去做，就能拥有傲人的胸部。

### 1. 产后美胸运动

简单的扩胸运动能够帮助锻炼胸部肌肉和乳房。最好在产后6个月时开始实施健胸计划。运动不要太过激烈，循序渐进由轻至重。产后新妈妈要注意，健胸锻炼要在哺乳后开始，锻炼前还要大量喝水，以防止脱水。

### 2. 禁止节食减肥

合理的饮食搭配提供足够的营养，才能保证机体的正常运转，一味的节食减肥会导致乳房的脂肪组织缩小。饮食里要有足够的B族维生素，它能够刺激体内合成雌激素，让产后新妈妈的胸部坚挺美丽。

### 3. 按摩丰胸很重要

每日早晚各按摩乳房5～10分钟，一个月后就能看到明显的效果。

仰卧，由乳房周围向乳头旋转按摩，先按顺时针，后按逆时针方向；双手手指包住整个乳房，对周围组织进行按压，每次3秒；双手从乳沟往下按压到乳房外围；双乳间用8字按摩法。

## 贴身胸罩能防止胸下垂

## 产后美臀操

美臀操：俯卧，头部放在交叉的双臂上，缓缓放松，吸气，右腿伸直抬高，足尖尽量下压，臀部不能离地，保持数秒，吐气缓缓放下。重复20次后，换腿。每日1次。

一些小运动也能帮助办公室“久坐族”健美臀部肌肉。

1. 虎形操：四肢着地，抬起右腿保持平衡，抬头向前看，反复4次，换一侧重复上述动作。

2. 桥式操：仰卧，两膝弯曲，双脚踩地，两手握住脚踝，吸气，臀部、腰部、背部一齐离开地面，尽量抬高，保持水平，保持自然呼吸，30秒后放松还原。

3. 收缩操：交替收缩、放松臀部肌肉，1分钟内重复30～40次，能有效紧致臀部肌肉。

Tips

### 少钠多钾：打造完美靓臀

身体缺乏钾元素的时候，细胞代谢会产生障碍，淋巴循环减慢，囤积的水分和废物在下半身累积，造成臃肿的臀部。所以，富含钾元素的食物能够打造美臀，过多的钠会妨碍钾的吸收，因此，饮食上要少钠多钾。

本书通过四川一览文化传播广告有限公司代理
经汉湘文化事业股份有限公司授权出版中文简体字版
非经书面同意，不得以任何形式复制、转载
北京市版权局著作权登记号 图字：01-2013-3966

图书在版编目（CIP）数据

产后瘦大腿、减腰腹、缩骨盆的瘦身必修书 / 叶君桐著.
—北京：东方出版社，2013
ISBN 978-7-5060-6979-3

Ⅰ. ①产… Ⅱ. ①叶… Ⅲ. ①产妇—减肥 Ⅳ.
①R161

中国版本图书馆CIP数据核字(2013)第253287号

**产后瘦大腿、减腰腹、缩骨盆的瘦身必修书**

（CHAN HOU SHOU DATUI、JIAN YAOFU、SUO GUPEN DE SHOUSHEN BIXIU SHU）

叶君桐 著

责任编辑：张 旭 王 欣 李 娜
出　　版：东方出版社
发　　行：人民东方出版传媒有限公司
地　　址：北京市东城区朝阳门内大街192号
邮政编码：100010
印　　刷：北京捷迅佳彩印刷有限公司
版　　次：2013年12月第1版
印　　次：2013年12月北京第1次印刷
开　　本：710毫米×1000毫米 1/16
印　　张：9.5
字　　数：147千字
书　　号：ISBN 978-7-5060-6979-3
定　　价：39.80元
发行电话：（010）65210059 65210060 65210062 65210063